POUVEZ-VOUS BOIRE LA COUPE
QUE JE VAIS BOIRE?

Henri J. M. Nouwen

POUVEZ-VOUS BOIRE LA COUPE QUE JE VAIS BOIRE?

Traduit de l'anglais
par Richard Groleau et Claire Martin

BELLARMIN

Données de catalogage avant publication (Canada)

Nouwen, Henri J. M.

Pouvez-vous boire la coupe que je vais boire ?

Traduction de : Can you drinks the cup ?

ISBN 2-89007-912-0

1. Vie spirituelle – église catholique.
2. Nouwen, Henri, J. M.
I. Titre

BX2350.2.N67814 2000   248.4'82   C00-941448-7

Dépôt légal : 3ᵉ trimestre 2000
Bibliothèque nationale du Québec

© 2000, Éditions Bellarmin pour la traduction française.
© Henri J. M. Nouwen, 1974
Publié en accord avec Ave Maria Press inc.

Les Éditions Bellarmin remercient le ministère du Patrimoine canadien
du soutien qui leur est accordé dans le cadre du Programme d'aide
au développement de l'industrie de l'édition. Les Éditions Bellarmin
remercient également le Conseil des Arts du Canada et la Société
de développement des entreprises culturelles du Québec (SODEC).

IMPRIMÉ AU CANADA

Le calice et la coupe

C'était un dimanche. Bernard Alfrink, archevêque de Hollande, posa ses mains sur ma tête, me revêtit d'une chasuble blanche, et m'offrit son calice d'or à toucher de mes mains liées avec un linge de lin. C'est ainsi que j'ai été ordonné prêtre, en même temps que vingt-sept autres candidats, à la cathédrale Sainte-Catherine d'Utrecht. Les émotions qui m'ont remué le cœur ce 21 juillet 1957 sont à jamais inoubliables.

Depuis l'âge de six ans, je désirais ardemment être prêtre. À part quelques envies passagères de devenir capitaine de la marine, surtout à cause des uniformes bleu et blanc ornés de galons dorés que portaient les officiers qui défilaient sur les quais de la gare de notre village, j'ai toujours rêvé de pouvoir un jour dire la messe, comme mon oncle Anton.

Ma grand-mère maternelle était mon plus grand soutien. Femme d'affaires avisée, elle avait ouvert un grand magasin où ma mère faisait la tenue de livres et où je pouvais courir, utiliser les ascenseurs librement, et jouer à la cachette avec mon petit frère. Aussitôt qu'elle découvrit ma vocation naissante pour la prêtrise, elle demanda à son menuisier de me construire un autel et fit confectionner par sa couturière tous les vêtements qu'il fallait pour jouer au prêtre. J'avais converti le grenier de ma maison en chapelle pour enfants où je jouais à la messe et faisais des sermons à mes parents. J'avais aussi établi toute une hiérarchie avec des évêques, des prêtres, des diacres et des servants de messe que je recrutais parmi mes amis. Pendant ce temps, non seulement ma grand-mère continuait-elle à m'offrir de nouveaux objets avec lesquels je pouvais jouer au prêtre, des pièces de vaisselle et des coupes, mais elle m'introduisait aussi doucement à une vie de prière et m'affermissait dans une relation intime avec Jésus.

Lorsque je voulus entrer au séminaire à douze ans, mes parents s'y opposèrent me jugeant beaucoup trop jeune pour quitter la maison. « Tu n'es pas encore prêt à prendre une telle décision », me dit mon père. « Tu devrais attendre d'avoir dix-huit ans. » C'était en 1944, et il voulait que j'aille au collège dans notre ville, près d'Amsterdam. La Deuxième Guerre mondiale faisait rage, mais mes parents ont pu nous tenir, mon frère et moi, à l'écart des horreurs de la guerre, et même nous permettre de mener une vie normale. Après la guerre, nous avons déménagé à La Haye, où j'ai terminé mes études collégiales. Puis, en 1950, je suis finalement entré au séminaire pour y étudier la philosophie et la théologie et me préparer à la prêtrise.

En ce jour du 21 juillet 1957, lorsque mon rêve de devenir prêtre s'est enfin réalisé, j'étais un jeune homme de vingt-cinq ans très naïf. Ma vie avait été bien protégée. J'avais grandi dans un beau jardin entouré d'une haie bien touffue. C'était un jardin gardé par des parents aimants et rempli d'expériences innocentes chez les louveteaux, de messes et de communions quotidiennes, de longues heures d'études avec des professeurs dévoués, et de plusieurs années heureuses mais très recluses de vie au séminaire. J'en suis sorti plein d'amour pour Jésus et animé d'un vif désir d'annoncer la parole de Dieu au monde, sans trop savoir cependant que le monde, lui, ne m'attendait pas. Je n'avais connu — et toujours en me tenant sur mes gardes — que de rares protestants, je n'avais jamais rencontré un non-croyant, et j'étais dans une totale ignorance des autres religions. Les gens divorcés étaient pour moi une énigme, et s'il y avait des prêtres qui avaient défroqué, on m'en avait tenu à l'écart. Le plus grand « scandale » dont j'avais été témoin avait été la renonciation à la prêtrise d'un ami séminariste !

Il reste que la vie dans le jardin de ma jeunesse a été merveilleuse et qu'elle m'a comblé de bienfaits qui m'ont duré toute la vie : un esprit joyeux, une profonde dévotion pour Jésus et Marie, un authentique attachement à la prière, une passion pour la théologie et la spiritualité, un intérêt marqué pour les Saintes Écritures et les écrits des premiers chrétiens, un enthousiasme fervent pour la prédication et un sens très fort de ma vocation. Ma grand-mère maternelle, mes grands-parents paternels, mes parents, amis et professeurs m'ont tous encouragé à rester fidèle à mon désir de vivre une vie avec Jésus pour les autres.

Quand le cardinal Alfrink m'a tendu le calice, je me suis senti prêt à entreprendre ma vie de prêtre. La joie de cette journée demeure en moi comme un souvenir impérissable. Le calice était le symbole de cette joie.

La plupart de mes camarades s'étaient fait faire un calice pour leur ordination. J'étais une exception. Mon oncle Anton, ordonné en 1922 et qui se réjouissait que la famille compte un nouveau prêtre, me fit don de son calice en témoignage de gratitude. Il était très beau, fabriqué par un célèbre orfèvre hollandais et orné de diamants ayant appartenu à ma grand-mère. La tige était décorée d'un crucifix en forme d'arbre de vie, duquel des grappes dorées et des feuilles de vignes poussaient pour couvrir la coupe. Sur le pied, ces mots latins étaient gravés : *Ego sum vites, vos palmites,* ce qui veut dire : « Je suis la vigne ; vous, les sarments. » C'était un cadeau précieux, et j'étais très ému de le recevoir. Je me rappelle avoir dit à mon oncle : « Je vous ai vu célébrer la messe si souvent avec ce calice ; êtes-vous bien sûr de vouloir vous en défaire ? » Il répondit en souriant : « Je veux qu'il soit à toi. Il vient de ta grand-mère, qui est morte trop tôt pour voir son petit-fils devenir prêtre, mais son amour est avec toi aujourd'hui. » Comme j'hésitais toujours à accepter le calice, il ajouta : « Prends-le, mais tu devras à ton tour le passer au prochain membre de la famille qui sera ordonné. »

Le calice est encore en ma possession puisque jusqu'à ce jour personne d'autre dans ma famille n'a été ordonné prêtre. Je le garde dans la sacristie de la chapelle Dayspring, à Toronto, où j'habite maintenant. Je le montre souvent aux amis et aux visiteurs. Mais tellement de choses se sont passées durant les trente-sept ans qui ont suivi mon ordination que le somptueux calice de mon oncle ne représente plus ce que je vis actuellement. Durant la célébration de l'Eucharistie, j'utilise maintenant plusieurs grandes coupes fabriquées par l'artisan verrier Simon Pearce, du Vermont. Le vase sacré fabriqué de métal précieux, qui ne pouvait être tenu que par le prêtre, est remplacé par de grandes coupes de verre à travers lesquelles on peut voir le vin et dans lesquelles plusieurs peuvent boire. Ces coupes représentent une nouvelle façon d'être prêtre et une nouvelle façon d'être humain. J'aime ces nouvelles coupes qu'on pose sur l'autel, mais sans le calice doré qui m'a été donné par mon oncle Anton il y a presque quarante ans, elles n'auraient pas autant de valeur à mes yeux qu'elles en ont aujourd'hui.

La question

J'aimerais raconter l'histoire de la coupe, pas seulement en tant que mon histoire, mais comme l'histoire de la vie.

Quand Jésus demande à ses amis Jacques et Jean, les fils de Zébédée, « Pouvez-vous boire la coupe que je vais boire ? » il pose la question qui va droit au cœur de mon sacerdoce et de ma vie en tant qu'être humain. Il y a des années, quand je tenais le beau calice doré dans mes mains, la réponse à cette question ne semblait pas difficile. Pour moi, prêtre nouvellement ordonné, plein d'idées et d'idéaux, la vie semblait riche de promesses. J'étais avide de boire la coupe !

Aujourd'hui, assis devant une table basse, entouré d'hommes et de femmes atteints de problèmes mentaux et de leurs éducateurs et aides-soignants, leur offrant le vin dans des coupes en verre, cette même question est devenue un défi spirituel. Est-ce que je peux, pouvons-nous boire la coupe que Jésus a bue ?

Je me souviens du jour, il y a de cela quelques années, où fut lue, durant la messe, l'histoire dans laquelle Jésus pose la question. Il était 8 h 30 le matin, et à peu près vingt membres de la communauté du Daybreak étaient rassemblés dans la petite chapelle du sous-sol. Soudainement, les mots « Pouvez-vous boire la coupe? » me transpercèrent le cœur comme la lance aiguisée d'un chasseur. J'ai compris à ce moment, comme en un éclair de perspicacité, que de bien réfléchir à cette question pourrait changer nos vies de façon radicale. C'est la question qui a le pouvoir d'ouvrir les cœurs endurcis et de mettre à nu les ressorts de la vie spirituelle.

« Peux-tu boire la coupe? la boire jusqu'à la lie? Peux-tu en goûter toute l'amertume comme toute la douceur? Peux-tu vivre ta vie à fond, peu importe ce qu'elle te réserve? » J'ai réalisé que c'étaient là des questions essentielles.

Mais pourquoi devrions-nous boire cette coupe? Pourquoi prendre part à la douleur, à l'angoisse, à la violence? Ne vaudrait-il pas mieux rechercher un minimum de souffrance et un maximum de plaisir?

Après la lecture, j'ai saisi spontanément une des grandes coupes sur la table en face de moi, j'ai regardé l'assistance, parmi laquelle plusieurs étaient affligés de graves infirmités, et j'ai dit: « Pouvons-nous tenir la coupe de la vie dans nos mains? Pouvons-nous la lever afin que les autres puissent la voir, et pouvons-nous la boire jusqu'au fond? Boire la coupe, c'est beaucoup plus que d'avaler ce qu'elle contient, comme rompre le pain, beaucoup plus que de le couper à la main. Boire la coupe de la vie veut dire la *tenir*, la *lever* et la *boire*. C'est vivre avec plénitude, c'est célébrer l'être humain. »

Pouvons-nous prendre en main notre vie, la tenir haut et la boire, comme Jésus l'a fait ? Autour de moi, j'ai perçu chez certains une lueur de compréhension, et en moi, une forte intuition de vérité. La question de Jésus m'avait fourni un nouveau langage avec lequel je pouvais parler de ma vie et de la vie de ceux qui m'entouraient. Longtemps après cette célébration eucharistique toute simple, j'entendais continuellement la question de Jésus : « Peux-tu boire la coupe que je vais boire ? » Le seul fait de laisser la question s'insinuer en moi me troublait. Mais je savais que je devrais dorénavant vivre avec ce malaise.

Ce livre est le fruit de mon cheminement. J'espère qu'il contribuera à faire pénétrer dans les cœurs la question de Jésus afin qu'une réponse personnelle puisse en émerger. Les trois thèmes qui ont surgi en moi ce fameux matin dans la chapelle de Dayspring, *tenir*, *lever* et *boire*, me serviront de balises dans cette exploration des horizons spirituels que la question de Jésus ouvre devant nous.

PREMIÈRE PARTIE

Tenir la coupe

CHAPITRE 1

Tenir

Avant de boire la coupe, on doit d'abord la prendre et la tenir en main!

Je me rappelle encore d'une fête de famille aux Pays-Bas. C'était une occasion spéciale, une noce ou un anniversaire. J'étais alors un jeune garçon, il ne m'était donc pas permis de boire du vin, mais j'étais fasciné par la façon dont les adultes le buvaient. Après qu'on eut versé le vin, mon oncle prit son verre, posa ses deux mains autour de la coupe qu'il agita doucement pour laisser l'arôme pénétrer dans ses narines, puis, embrassant les invités du regard, il leva son verre, en but une gorgée et déclara : « Excellent... très bon millésime... laissez-moi voir la bouteille... ça doit être un 1945. »

Lui, c'était mon oncle Anton, le frère aîné de ma mère, prêtre, monseigneur, autorité en plusieurs domaines, les bons vins étant l'un de ceux-là. Chaque fois qu'oncle Anton assistait à un souper familial, il avait immanquablement un commentaire ou deux à faire au sujet du vin : « Corsé, riche en bouquet », ou « Pas ce à quoi je m'attendais », ou « Ce vin manque un peu de maturité », ou « Celui-ci serait fort bon avec le rôti », ou encore « Celui-là se marie fort bien avec le poisson ». Ses critiques n'étaient pas toujours appréciées par mon père, le maître de maison, mais personne n'osait le contredire. Enfant, tout le rituel autour du vin m'intriguait. Souvent mes frères et moi taquinions notre oncle : « Allez-y oncle Anton, devinez l'origine et le millésime de ce vin sans lire l'étiquette... Vous êtes un expert, n'est-ce pas ? »

Une chose que j'ai retenue de tout cela : boire du vin, c'est plus que simplement boire. Il faut savoir en apprécier la qualité, et on doit être capable d'en parler. De la même façon, simplement vivre sa vie n'est pas assez. Une vie sur laquelle on ne réfléchit pas n'en vaut pas la peine. Il est dans la nature de l'être humain de contempler sa vie, d'y penser et de l'évaluer. La moitié de notre vie doit servir à réfléchir à ce que l'on vit. Cela en vaut-il la peine ? Est-ce bon ? Est-ce mauvais ? C'est toujours pareil ou ça évolue ? À quoi rime notre existence ? Les plus grandes joies comme les plus grandes douleurs prennent leur source non seulement dans les événements, mais aussi et peut-être plus encore dans la façon dont nous les sentons et les interprétons. La pauvreté et la richesse, le succès et l'échec, la beauté et la laideur ne sont pas seulement des faits de la vie. Ce sont des réalités qui sont vécues différemment par différentes personnes suivant les circons-

tances. Une personne pauvre qui se désole en se com-
parant à son riche voisin ne perçoit pas sa pauvreté de
la même manière qu'une autre qui n'a pas de voisin
bien nanti et qui par conséquent n'est pas constamment en train de se comparer. La réflexion est essen-
tielle pour grandir, se développer et changer. C'est une
prérogative dont seul l'être humain peut se prévaloir.

Tenir la coupe de la vie veut dire regarder d'un œil
critique ce que nous vivons. Cela requiert du courage,
parce qu'il peut arriver qu'on soit terrifié par ce que
l'on voit. Des questions auxquelles nous sommes inca-
pables de répondre peuvent surgir. Des doutes aussi
peuvent nous assaillir, des peurs nouvelles nous mena-
cer. Nous sommes alors tentés de dire : « Profitons de la
vie, tout simplement. Toutes ces réflexions ne font que
rendre les choses plus difficiles. » Nous savons pourtant intuitivement que de vivre sans réfléchir risque de
rétrécir notre champ de vision et de nous faire perdre
le cap. De la même manière, si nous vidons notre verre
d'un trait, sans prendre le temps de contempler le vin
et d'approcher notre coupe pour le humer avant de le
boire, nous risquons de nous enivrer sans avoir pu le
savourer.

Tenir la coupe de la vie est une chose exigeante.
Nous sommes des gens assoiffés qui aimons boire tout
de suite. Mais nous devons retenir notre impulsion,
mettre nos deux mains autour de la coupe, et nous
demander : « Qu'est-ce qui m'est donné à boire ?
Qu'est-ce qu'il y a dans ma coupe ? Est-ce bon pour
moi ? Vais-je me porter mieux après l'avoir bue ? »

Tout comme il y a d'innombrables variétés de vin, il y a d'innombrables variétés de vies. Il n'y a pas deux vies pareilles. Nous comparons souvent notre vie avec celle des autres, cherchant à savoir si nous sommes mieux ou pires, mais de telles comparaisons ne nous aident pas beaucoup. C'est notre vie que nous devons vivre, pas celle de quelqu'un d'autre. Nous devons tenir *notre propre* coupe. Nous devons oser dire : « Voilà ma vie, la vie qui m'a été donnée, et je dois la vivre du mieux que je peux. Ma vie est unique. J'ai ma propre histoire, ma propre famille, mon propre corps, mon propre caractère, mes propres amis, ma propre façon de penser, de parler et d'agir. Oui, j'ai ma propre vie à vivre. Personne d'autre n'a le même destin. Je suis seul parce que je suis unique. Plusieurs personnes peuvent m'aider, mais en définitive, c'est à moi seul de décider comment vivre. »

C'est un pas difficile à franchir, parce qu'il nous confronte à notre irrémédiable solitude. Mais c'est aussi un extraordinaire défi qui nous invite à devenir l'être unique que nous sommes.

Cela me rappelle une sculpture intitulée « Pumunangwet », de Philip Sears, que j'ai vue au musée des Fruitlands à Harvard. Un Amérindien au corps robuste et élancé, torse nu, un pagne autour des reins, tient dans la main gauche un arc qu'il pointe vers le ciel tandis que sa main droite semble poursuivre le mouvement de la flèche qu'il vient de décocher en direction des étoiles. Il est en pleine possession de lui-même, solidement enraciné dans le sol tout en s'élevant vers le ciel, visant plus loin que lui-même. Il sait qui il est et ce dont il est capable. Il est fier d'être un guerrier solitaire appelé à remplir une tâche sacrée.

Comme ce guerrier, nous devons revendiquer la pleine possession de qui nous sommes et de ce que nous sommes appelés à vivre. Pour pouvoir nous aussi viser les étoiles.

CHAPITRE 2

La coupe du chagrin

Quand je suis arrivé à l'Arche Daybreak la première fois, j'y ai trouvé la souffrance et l'affliction.

On m'avait demandé de m'occuper d'Adam, un jeune homme de vingt-deux ans incapable de parler et de marcher seul, et qui semblait complètement enfermé dans son monde. Le dos voûté, il souffrait de crises épileptiques quotidiennes et de fréquentes douleurs intestinales. Lorsqu'on me l'a présenté, j'ai eu peur de lui. Ses multiples handicaps me faisaient l'effet d'un être étrange et inquiétant.

Peu après avoir rencontré Adam, j'ai aussi connu son frère Michael. Bien que Michael pouvait parler un peu et qu'il était capable de marcher seul, et même d'effectuer des tâches simples, il était lui aussi gravement handicapé et avait constamment besoin d'attention pour passer à travers une journée. Adam et Michael étaient les seuls enfants de Jeanne et Rex.

Michael a vécu dans sa famille jusqu'à l'âge de vingt-cinq ans et Adam jusqu'à dix-huit ans. Jeanne et

Rex auraient aimé garder les garçons à la maison et continuer à s'en occuper mais le temps et les épreuves avaient usé leurs forces et leur santé. Ils les ont alors confiés à la communauté de l'Arche, espérant que leurs fils y seraient bien traités.

J'ai été très affecté par les peines de cette petite famille. Quatre personnes accablées par les inquiétudes et les chagrins, par la peur de complications subites, par l'impuissance à bien communiquer, par la lourdeur des responsabilités et par la perspective d'une vie qui ne pouvait qu'empirer avec le temps.

Mais le malheur n'est pas l'apanage d'Adam, de Michael et de leurs parents. Il y a Bill, atteint de dystrophie musculaire, qui a besoin pour se maintenir en vie d'un stimulateur cardiaque et d'un appareil respiratoire, et qui a toujours peur de tomber. Personne ne vient le visiter. Ses parents n'ont jamais pu s'en occuper et ils sont tous les deux morts très jeunes.

Il y a Tracy, complètement paralysée, dotée pourtant d'un esprit vif, et pour qui exprimer ses sentiments et ses pensées est une lutte continuelle. Il y a Suzanne, handicapée mentale en plus d'être tourmentée par des voies intérieures qu'elle ne peut contrôler. Il y a Loretta, qui a le sentiment d'être rejetée par sa famille et ses amis à cause de son handicap ; sa recherche désespérée d'affection et son incapacité à s'affirmer la précipitent dans de graves dépressions. Il y a aussi David, Francis, Patrick, Janice, Carol, Gordie, George, Patsy... chacun avec sa coupe pleine de chagrins.

Pour en prendre soin, des hommes et des femmes de tous âges, de toutes nationalités et de toutes religions, tâchant de soulager leurs souffrances. Ils découvrent assez vite cependant que les blessures apparentes en cachent d'autres, moins visibles mais aussi réelles, des chagrins liés à des ruptures familiales, à des besoins sexuels insatisfaits, à une détresse spirituelle, aux angoisses face à l'avenir et, surtout, à des rapports humains étriqués et chaotiques. Qu'ils se tournent vers le passé ou qu'ils regardent vers l'avenir, l'horizon est sombre, et le présent, tout aussi triste.

En ce qui me concerne, les choses ne sont pas si différentes. Après dix ans de vie parmi eux, je suis devenu plus attentif à ma propre souffrance. À une certaine époque, je me disais : « L'année prochaine j'y verrai plus clair », ou « La maturité aura raison de ces idées noires », ou « Avec l'âge, mes besoins affectifs vont diminuer. » Mais maintenant, je sais que ces chagrins m'appartiennent et qu'ils ne me quitteront pas. En fait, je sais que ce sont de très anciens et de très profonds chagrins, et qu'aucune pensée positive ni aucun optimisme ne les feront disparaître. La quête d'amour de l'adolescent est toujours là ; le besoin d'affirmation non comblé dans ma jeunesse est resté vivace lui aussi. La mort de ma mère, de plusieurs membres de ma famille et ces dernières années de nombreux amis me cause une douleur constante. Plus intense encore, la tristesse de n'être pas devenu celui que je voulais, et de n'avoir pas obtenu de Dieu, que j'ai prié avec tant de ferveur, ce que je désirais le plus.

Mais qu'est-ce que le chagrin de notre petite communauté comparé au chagrin de la ville entière, du pays, du monde? Et le chagrin des sans-abri? Et celui des jeunes gens mourant du sida? Qu'en est-il des milliers de personnes enfermées dans les prisons ou les hospices? Qu'en est-il des familles brisées, des chômeurs et des innombrables personnes handicapées qui n'ont pas de refuge comme Daybreak où aller?

Et quand je regarde au-delà des frontières de ma ville, de mon pays, le portrait devient plus effrayant encore. Je vois les enfants des rues de Sao Paulo. Je vois les garçons et les filles de la prostitution à Bangkok. Je vois les prisonniers au corps émacié des camps de l'ex-Yougoslavie. Je vois des populations affamées errant dans les déserts arides de l'Éthiopie et de la Somalie. Je vois des millions de visages ravagés par la faim, la misère, la solitude, et des cadavres empilés pour cause de guerres cruelles et de génocides. À qui est cette coupe? C'est notre coupe, la coupe des souffrances humaines. Parce que nos chagrins les plus intimes sont en même temps des souffrances universelles.

Maintenant, je regarde l'Homme de douleur. Il pend sur une croix, les bras étendus. C'est Jésus, condamné par Ponce Pilate, crucifié par des soldats romains, injurié et ridiculisé tant par les juifs que par les païens. Mais c'est aussi chacun de nous et l'humanité entière, des gens de toutes les époques et de tous les pays, arrachés du sol et donnés en spectacle afin que l'univers en soit témoin. Jésus a dit: «Et moi, une fois élevé de terre, je les attirerai tous à moi» (*Jean* 12,32).

Jésus, l'Homme de douleur, et nous, hommes et femmes de douleur, suspendus entre ciel et terre, criant : « Mon Dieu, mon Dieu, pourquoi m'as-tu abandonné ? »

Jésus demande à ses amis : « Pouvez-vous boire la coupe que je vais boire ? » Ils répondent oui, mais ils n'ont aucune idée de ce dont il parle. La coupe de Jésus est une coupe de douleur, pas seulement la sienne mais celle de toute l'humanité. C'est une coupe remplie de souffrances physiques, morales et spirituelles. C'est la coupe de la privation, de la persécution, de la solitude, de l'exclusion, de l'abandon et de l'angoisse. C'est une coupe remplie d'amertume. Qui veut la boire ? Isaïe l'appelle « la coupe de la colère de Dieu ». « Une coupe de vertige que tu as bue, que tu as vidée » (*Isaïe* 51,17) ; ce que le deuxième ange de l'Apocalypse nomme « le vin de la colère » (*Apocalypse* 14,8), dont Babylone a abreuvé toutes les nations.

Lorsque le moment de boire cette coupe est arrivé pour Jésus, il dit : « Mon âme est triste à en mourir » (*Matthieu* 26,38). Son agonie est si intense que « sa sueur devient comme de grosses gouttes de sang qui tombent à terre » (*Luc* 22,44). Ses amis Jacques et Jean, à qui il avait demandé s'ils pouvaient boire la coupe qu'il s'apprêtait à boire, l'accompagnent mais ils se sont endormis, n'ayant pas la force de veiller avec lui, de partager sa tristesse et son angoisse. En proie à une très grande solitude, il tombe contre terre et fait cette prière : « Mon Père, s'il est possible, que cette coupe passe loin de moi ! » Jésus ne pouvait pas y faire face.

C'était trop de souffrances et trop d'angoisse. Il ne se croyait pas capable de boire cette coupe de douleur.

Comment alors a-t-il pu dire oui? Que répondre? sinon que Jésus, même brisé par le rejet et l'abandon, était toujours dans une relation étroite avec celui qu'il appelait «Abba» [«père» en araméen, dans le sens affectueux et familier de «papa»]. Sa confiance allait au delà de la trahison, sa soumission filiale au delà du désespoir, son amour au delà de l'effroi. C'est à cause de cette intimité qui dépasse toutes les intimités humaines que Jésus a pu demander à celui qui l'avait appelé «mon Bien-Aimé» d'éloigner la coupe des souffrances. Malgré son angoisse, ce lien d'amour ne s'est pas rompu. C'était un lien impalpable et ineffable, sublime et indestructible. Et c'est cette même communion intime avec son Père qui lui a fait accepter la coupe: «Cependant, non pas comme je veux, mais comme tu veux» (*Matthieu* 26,39).

Jésus n'a pas cédé au désespoir et repoussé la coupe. Non, il l'a tenue fermement dans ses mains, voulant la boire jusqu'à la lie. Cela n'était pas une démonstration de volonté à toute épreuve ou de courage héroïque. Émanant des profondeurs de son âme, c'était un «oui» à Abba, épris d'amour pour son cœur blessé.

Quand je contemple mon cœur rempli de chagrin, quand je pense à ma petite communauté et à tous les malheurs qui l'affligent, quand je vois les pauvres des grandes villes et l'immense angoisse des humains, je me demande: d'où le grand «oui» doit-il venir? En

moi et dans les autres, j'entends bien la prière sonore :
« Mon Dieu, si c'est possible, que cette coupe de chagrin passe loin de nous. » Je l'entends dans la voix de
ce jeune sidatique mendiant sa nourriture rue Yonge ;
je l'entends dans les pleurs des enfants affamés, dans
les cris des prisonniers torturés, dans la colère des pro-
testataires indignés par l'exploitation éhontée et par la
destruction de la planète, et je l'entends dans les
innombrables et incessants appels à la justice et à la
paix. C'est une prière qui s'élève vers Dieu non pas
comme un encens mais à la manière d'un brasier.

D'où viendra alors le grand oui ? « Non pas ce que
je veux, mais ce que tu veux. » Qui peut dire oui quand
la voix de l'amour ne s'est pas fait entendre ? Qui peut
dire oui quand il n'y a pas d'Abba à qui parler ? Qui
peut dire oui quand il n'y a pas d'espoir de consolation ?

Au milieu de la prière angoissée de Jésus, il y eut un
moment d'apaisement. Seul l'évangéliste Luc le men-
tionne : « Alors lui apparut, venant du ciel, un ange qui
le réconfortait » (*Luc* 22,43).

Au cœur du chagrin, il y a la consolation ; au creux
de l'obscurité, la lumière ; au plus fort du désespoir, il
y a l'espoir ; au centre de Babylone, on voit une lueur
venant de Jérusalem, et au milieu de l'armée des
démons, un ange de consolation. La coupe qui contient
notre chagrin est la même qui contient notre joie.

CHAPITRE 3

La coupe de la joie

Après neuf ans à Daybreak, Adam, Michael, Bill, Tracy, Suzanne, Loretta, David, Francis, Patrick, Janice, Carol, Gordie, George et plusieurs autres sont devenus mes amis. Plus que des amis, ils sont mêlés de très près à ma vie quotidienne. Malgré qu'ils soient toujours aussi handicapés qu'au moment où je les ai connus, je pense rarement à eux comme à des gens qui ont des handicaps. Je pense à eux comme à des frères et à des sœurs avec qui je partage ma vie. Je ris avec eux, je pleure avec eux, je mange avec eux, je vais au cinéma avec eux, je prie et célèbre avec eux, en somme, je vis ma vie avec eux. En vérité, ils me remplissent d'une joie énorme.

Après m'être occupé d'Adam pendant quelques mois, j'ai cessé d'avoir peur de lui. Le réveiller le matin, lui donner un bain, lui brosser les dents, le raser, lui donner à déjeuner avait créé un lien si fort entre nous — un lien au-delà des mots et de signes visibles de communication — que j'ai commencé à m'ennuyer de lui lorsque nous ne pouvions pas être ensemble. Mon temps avec lui était devenu un temps de prière, de silence et d'intimité tranquille. Adam m'apaisait, c'était quelqu'un qui m'aimait et qui me faisait confiance, même quand l'eau de son bain était trop froide ou trop chaude, quand je le coupais en le rasant, ou que je l'habillais tout de travers !

Ses crises d'épilepsie ne m'effrayaient plus. Elles me forçaient seulement à ralentir, à oublier mes autres obligations ; je restais avec lui et je l'enveloppais dans d'épaisses couvertures pour le tenir au chaud. Sa démarche lente et difficile ne me rendait plus impatient, elle me donnait plutôt l'occasion de me tenir près de lui, de mettre mes bras autour de sa taille, et de lui dire des mots d'encouragement. Lorsqu'il renversait son verre de jus d'orange ou qu'il laissait tomber de la nourriture sur le plancher, je ne paniquais plus : je nettoyais tout simplement. Connaître Adam est devenu un privilège pour moi. Qui peut être aussi près d'un autre être humain que je peux l'être d'Adam ? Qui peut passer plusieurs heures chaque jour avec un homme qui lui fait totalement confiance et qui croit en lui ? N'est-ce pas cela, la joie ?

Et Michael, le frère d'Adam : comme son amitié m'est devenue chère ! Il est le seul dans la communauté à m'appeler « père Henri ». Chaque fois qu'il dit cela, un sourire éclaire son visage, comme s'il voulait être un père lui aussi ! De sa voix hésitante et saccadée, il ne se lasse pas de répéter, pointant l'étole à mon cou : « J'en... veux... une... aussi... père ». Lorsqu'il est triste parce que son frère est malade, ou parce que quelqu'un qu'il aime s'en va, il vient vers moi, m'entoure de ses bras, et laisse ses larmes couler librement. Et puis, au bout d'un moment, il me prend par les épaules, et le visage souriant à travers ses larmes, me lance : « Vous êtes… un… drôle de… père ! » Lorsque nous prions ensemble, il se touche souvent la poitrine en disant : « Je le sens… ici… ici dans mon cœur. » Et quand nous nous tenons la main, il y a cette immense joie qui émerge de notre chagrin partagé.

Bill, dont l'existence a été parsemée d'embûches et de revers de toutes sortes, est devenu mon compagnon particulier. Il m'accompagne souvent lors de tournées de conférences. Nous sommes allés à Washington, à New York, à Los Angeles et dans plusieurs autres villes au fil des années. Peu importe où nous allons, sa présence joyeuse est aussi efficace que toutes mes paroles. Bill adore raconter des blagues. Avec un naturel déconcertant, il amuse les gens pendant des heures, riches ou pauvres, dignitaires ou gens simples, évêques ou femmes de chambre, députés ou garçons d'ascenseur. Pour Bill, tout le monde est important et tout le monde mérite d'entendre ses histoires drôles ! Mais il y a des moments où la tristesse le submerge. Parfois, quand il parle d'Adam, par exemple, qui ne peut pas parler, ou de Tracy, qui ne peut pas marcher, il éclate en sanglots. Il met alors ses bras autour de mes épaules et il pleure sans retenue et sans honte. Mais il retrouve bientôt son sourire, et sa verve.

Et puis il y a le sourire radieux de Tracy quand un ami vient la voir, les tendres soins de Loretta pour ceux

qui sont plus handicapés qu'elle, et toutes ces attentions que David, Janice, Carol, Gordie, George ont les
uns pour les autres et pour leurs aides-soignants. Ils
sont tous de vrais signes de joie.

Il n'est pas surprenant que plusieurs jeunes
hommes et femmes de partout dans le monde veuillent
venir à Daybreak pour être près de ces gens spéciaux.
Oui, ils *viennent* pour prendre soin d'eux et répondre
à leurs besoins. Mais ils *restent* parce que ceux dont ils
venaient s'occuper leur ont apporté une joie et une
paix qu'ils ne pouvaient trouver nulle part ailleurs. À
n'en pas douter, les handicapés de Daybreak les ont mis
en contact avec leurs propres handicaps, leurs propres
blessures intérieures et leurs propres chagrins, mais la
joie de vivre ensemble et de partager ses faiblesses rend
les chagrins non seulement tolérables mais source de
gratitude.

Ma propre vie dans cette communauté a été
immensément joyeuse, même si je n'avais jamais
autant souffert, autant pleuré ni connu autant d'angoisses qu'à Daybreak. Nulle part ailleurs je ne me suis
autant révélé que dans cette petite communauté.
Impossible en effet de dissimuler mon impatience, ma
colère, mes frustrations et ma dépression à des gens si
conscients de leurs propres faiblesses. Mes besoins
d'amitié et d'affection, mon désir de m'affirmer et de
m'accomplir sautent aux yeux de quiconque veut les
voir. Je n'ai jamais expérimenté si profondément que la
vraie nature du service sacerdotal est un être-avec, un
com-patir. Le sacerdoce de Jésus est décrit dans l'épître

aux Hébreux comme en étant un de solidarité avec la souffrance humaine. Être prêtre aujourd'hui me met au défi de refuser les dérobades, de descendre de mon piédestal, de quitter ma tour d'ivoire, et de m'employer à connecter ma propre vulnérabilité à la vulnérabilité de ceux avec qui je vis. Et quelle joie on en retire! La joie d'appartenir, de faire partie, de ne pas être différent.

D'une certaine façon, ma vie à Daybreak m'a donné des yeux pour découvrir de la joie là où d'autres ne voient que de la tristesse. Parler à un itinérant dans une rue de Toronto n'a plus rien d'effrayant. Le prétexte à la rencontre est bien sûr l'argent, mais bien vite on passe à autre chose, on parle des faits de la vie, on échange sur l'existence de l'un et de l'autre. Les regards se croisent, les mains se touchent, puis, souvent sans qu'on s'y attende, un éclat de rire jaillit, un sourire, un vrai moment de joie. Le malheur n'a pas disparu, mais quelque chose a changé du fait que je ne me tiens plus devant les autres mais près d'eux, parmi eux, et que nous partageons des moments agréables en appréciant simplement le fait d'être ensemble.

Et l'incommensurable souffrance humaine partout dans le monde? Quelle joie peut-il y avoir à mourir de faim, à être exploité, humilié, brutalisé, mutilé, exclu, emprisonné? Comment peut-on oser parler de joie devant l'abime insondable du malheur?

Et pourtant, elle est là! Pour qui a le courage d'entrer profondément dans le malheur humain, il y a une révélation de joie, cachée comme un joyau dans le mur d'une sombre caverne. C'est une réalité que j'avais déjà entrevue en partageant la vie d'une famille très pauvre à Pamplona Alta, un des bidonvilles de la banlieue de Lima, au Pérou. Cette pauvreté-là était pire que tout ce que j'avais vu auparavant, mais quand je me remémore ces trois mois passés avec Pablo, Maria et leurs enfants, mes souvenirs sont remplis de rires, d'étreintes, de simples jeux et de longues soirées à se raconter des histoires. La joie, la vraie joie était là, une joie qui n'avait évidemment rien à voir avec la réussite sociale ou les possessions matérielles; qui n'était même pas fondée sur l'espoir de sortir de la pauvreté. Cette joie-là provenait d'une source spirituelle qui semblait intarissable malgré l'extrême indigence. La fille d'un ami new-yorkais, coopérante au Rwanda pendant une dizaine de mois, a relaté elle aussi qu'elle n'y avait pas vu que du désespoir, mais aussi de l'espoir, du courage, de la sollicitude, de l'entraide. Elle a été profondément troublée par ce qu'elle a vu, sans pourtant en ressortir brisée. Au contraire, cette expérience a accru sa détermination à travailler sans relâche pour la justice et pour la paix.

La joie et le chagrin ne sont pas séparés. Dans la coupe de la vie, bonheurs et malheurs, plaisirs et peines, réjouissances et deuils d'entremêlent. Elle serait imbuvable autrement. C'est pourquoi nous devons tenir la coupe soigneusement dans nos mains et rechercher les joies cachées dans nos chagrins.

Pouvons-nous voir Jésus comme l'Homme de la joie? Le corps torturé du Christ, nu, pendant, les bras cloués à une croix n'est pas un spectacle joyeux. Néanmoins, la croix de Jésus est souvent représentée comme un trône glorieux sur lequel le Roi est assis. Sur ces crucifix, le corps de Jésus n'est pas celui d'un homme livré à la flagellation et au supplice, c'est un beau corps lumineux dont les blessures sont sacrées.

Le crucifix de San Damiano, celui que saint François d'Assise entendit l'appeler par son nom et lui parler, en est un bon exemple. Il montre un Jésus crucifié mais victorieux. La croix est ornée d'une bordure en or magnifique ; le corps de Jésus est parfait, il ne porte aucune marque de torture ; la traverse sur laquelle ses bras sont cloués représente le tombeau ouvert d'où Jésus est ressuscité ; Marie et Jean et tous ceux rassemblés autour de lui sur la croix sont remplis de joie. Au sommet du poteau, on peut voir une image de Dieu entouré d'anges, appelant Jésus au ciel de sa main droite.

Ce crucifix est celui de la résurrection ; il figure Jésus élevé dans la gloire. Les paroles de Jésus : « et moi, une fois élevé de terre, j'attirerai tous les hommes à moi » (*Jean* 12,32) se réfèrent non seulement à sa crucifixion mais aussi à sa résurrection. Être élevé ne veut pas dire seulement être élevé sur la croix, mais aussi être élevé par la résurrection. C'est le signe tout à la fois de l'affliction et du ravissement.

Jésus le dit très clairement : « Comme Moïse éleva le serpent dans le désert, ainsi faut-il que soit élevé le fils de l'homme, afin que quiconque croit ait en lui la vie éternelle » (*Jean* 3,13-14). Ce que Moïse éleva comme un étendard dans le désert était un serpent de bronze qui avait le pouvoir de guérir les morsures de serpent si on le regardait (*Nombres* 21,8-9). La croix de Jésus est un étendard qui a le pouvoir de nous guérir des atteintes de la mort. Le Seigneur « élevé » attire tous les humains avec lui dans sa vie éternelle. Le Jésus qui crie sa détresse : « Mon Dieu, mon Dieu, pourquoi m'as-tu abandonné ? » (*Matthieu* 27,47) est le même qui s'abandonne avec confiance : « Père, en tes mains, je remets mon esprit » (*Luc* 23,46). Jésus, qui a participé tout entier à nos souffrances, veut que nous participions tout entier à sa joie. Jésus, l'Homme de la joie, veut que nous soyons le peuple de la joie.

« Pouvez-vous boire la coupe que je vais boire ? » Après avoir posé cette question à Jean et à Jacques, et après qu'ils eurent répondu spontanément : « Oui, nous le pouvons », Jésus leur fit cette prédiction terrible mais remplie d'espoir : « Soit, vous boirez ma coupe. » La coupe de Jésus serait leur coupe. Ce que Jésus vivrait, ils le vivraient. Jésus ne voulait pas que ses amis souffrent, mais il savait que, pour eux, souffrir était le seul et nécessaire chemin menant à la gloire. Plus tard il dira à deux de ses disciples : « Ne fallait-il pas que le Christ endurât ces souffrances pour entrer dans sa gloire ? » (*Luc* 24,26) Les chagrins et les joies ne peuvent être séparés. Jésus savait cela, même si au milieu de son angoisse dans le jardin, lorsque son âme était « triste à en mourir » (*Matthieu* 26,38), il a eu besoin d'un ange du ciel pour le lui rappeler. Il arrive que notre coupe soit tellement pleine de chagrin que la joie nous semble inaccessible. Lorsque le raisin est au pressoir, il ne peut pas penser au vin qu'il va devenir. Le chagrin nous accable, nous fait tomber face contre terre, et suer des gouttes de sang. C'est alors qu'on doit nous rappeler que notre coupe de chagrin est aussi notre coupe de joie et qu'un jour nous pourrons goûter la joie aussi pleinement que nous goûtons le chagrin maintenant.

Après que l'ange l'eut réconforté, Jésus se releva et fit face à Judas et aux gardes qui étaient venus l'arrêter. Voyant ce qui allait arriver, Pierre tira son épée et frappa le serviteur du grand prêtre. Jésus lui dit : « Rentre le glaive dans le fourreau. La coupe que m'a donnée le Père, ne la boirai-je pas ? » (*Jean* 18,11)

À ce moment, Jésus n'est plus envahi par l'angoisse. Il se tient devant ses ennemis avec une grande dignité et un sentiment de liberté intérieure. Il tient sa coupe remplie de tristesse mais aussi de joie. La joie de savoir que ce qu'il entreprend est la volonté de son Père et qu'il accomplit ainsi sa mission. L'évangéliste Jean nous montre bien l'extraordinaire force morale qui émanait de Jésus à ce moment-là. Il écrit : « Alors Jésus, sachant tout ce qui allait lui advenir, sortit et leur dit : "Qui cherchez-vous ?" Ils lui répondirent "Jésus le Nazaréen". Jésus leur dit : "C'est moi" [...] Alors ils reculèrent et tombèrent à terre » (*Jean* 18,4-6).

Le oui inconditionnel de Jésus à son Père lui avait donné la force de boire sa coupe, non dans une résignation passive mais en sachant avec certitude que l'heure de sa mort serait aussi l'heure de sa gloire. Son oui fit de sa soumission un acte créateur, un acte qui porterait beaucoup de fruit. Son oui leva la fatalité : son ministère ne serait pas interrompu. Au lieu d'une fin irrévocable, sa mort devient le début d'une vie nouvelle. Son oui était l'annonce que le grain semé en terre allait produire une riche moisson.

Les joies sont cachées dans les chagrins ! Je le sais par mes propres moments de dépression. Je l'ai appris en vivant avec des gens fortement handicapés. Je l'ai vu dans le regard des gens souffrants : des malades et des pauvres entre les pauvres. Nous oublions cette vérité et alors tous les maux dont nous souffrons nous accablent. Ils deviennent la seule réalité.

Nous devons nous rappeler les uns aux autres que ce qui précisément fait notre malheur peut devenir un terreau fertile pour le bonheur. En fait, il nous faut être des anges de réconfort les uns pour les autres. C'est en nous apportant mutuellement force et consolation que nous arriverons à comprendre que notre coupe contient à la fois nos joies et nos peines et que nous accepterons de la boire.

DEUXIÈME PARTIE

Lever la coupe

CHAPITRE 4

Lever

Les bonnes manières et le savoir-vivre étaient très importants dans notre famille, particulièrement à table.

Dans le vestibule de notre maison était accrochée une grosse cloche. Dix minutes avant le repas, mon père sonnait vigoureusement la cloche et annonçait : « C'est l'heure du souper, tout le monde se lave les mains. »

Il y avait plusieurs « péchés de table » : mettre ses coudes sur la table, remplir sa fourchette ou sa cuillère de nourriture, manger trop vite, faire des bruits, mâcher la bouche ouverte, ne pas utiliser sa fourchette et son couteau pour manger la viande, couper les spaghettis avec un couteau. Nos repas étaient souvent entrecoupés des petits commandements de mon père : « Pas de coudes sur la table », « Attendez que tout le monde soit servi », « On ne parle pas la bouche pleine ».

Quand il nous était permis d'avoir un verre de vin à table, c'était un signe qu'on était devenu adulte. En

1950, j'avais alors dix-huit ans, boire du vin était un luxe. En France et en Italie, le vin au repas faisait partie du quotidien, mais en Hollande c'était réservé aux grandes occasions. Boire du vin exigeait, il va sans dire, un rituel : goûter le vin pour s'assurer qu'il est bon, le humer, en parler, le verser dans les verres appropriés — à moitié pour qu'il puisse «respirer» — et, le plus important, porter un toast.

Personne n'aurait commencé à boire avant que tout le monde ne soit servi et que mon père ait levé son verre, regardé chacun des convives, prononcé un mot de bienvenue et souligné le caractère exceptionnel de l'occasion. Alors, avec son verre, il touchait le verre de ma mère et celui de ses invités et buvait un peu. C'était toujours un moment solennel, presque sacré. Plus tard, quand on a cessé d'accorder une attention particulière au vin, quand les verres étaient remplis jusqu'au bord et que les gens buvaient sans lever leur verre ou porter un toast, je sentais toujours qu'il manquait quelque chose, même que quelque chose s'était perdu.

Lever sa coupe est une invitation à souligner et à célébrer le fait d'être ensemble. Quand nous levons notre coupe et que nous nous regardons dans les yeux, nous voulons dire : «Ne soyons pas inquiets, accueillons-nous les uns les autres. N'ayons pas peur d'affronter notre vie et encourageons-nous à apprécier ce qu'elle nous réserve.»

Toutes les langues disposent d'une formule pour trinquer, pour porter une santé : en latin, «Prosit» ; en allemand, « Zum Wohl » ; en néerlandais, « Op je gezondheid » ; en anglais, « Cheers » ; en français, « À votre santé » ; en italien, « Alla tua salute » ; en polonais, « Sto lat » ; en ukrainien, « Na zdorvia ». En hébreu, on dit « L'chaim » : À la vie ! C'est peut-être le souhait qui les résume le mieux. Levons notre coupe à la vie, pour affirmer notre vivre-ensemble et le célébrer comme un cadeau de Dieu. Quand nous pourrons tenir solidement notre propre coupe, remplie de chagrins et de joies mêlés, la reconnaître comme notre vie dans ce qu'elle a d'unique, alors nous pourrons la lever pour que les autres la voient, et leur donner à leur tour le courage de lever la leur. Ainsi, quand nous levons ensemble notre coupe, sans appréhension, proclamant que nous nous supporterons les uns les autres dans notre voyage commun, nous créons la communauté.

Dans une communauté, rien n'est ni uniquement harmonieux ni toujours facile. Mais l'union se réalise parce que les gens qui la composent, tout en acceptant que la vie soit un mélange de réussites et d'échecs, de hauts et de bas, croient que nous n'avons pas à les vivre seuls. Nos blessures individuelles, qui semblent intolérables lorsque vécues dans la solitude, deviennent une source de guérison quand nous les vivons au sein d'une communauté fraternelle et amicale, et que nous prenons soin les uns des autres.

La communauté est comme une grande mosaïque. Avant que les petites pièces ne soient assemblées, chacune peut sembler vraiment insignifiante. On en voit de toutes les couleurs et de toutes les formes ; certaines sont brillantes, d'autres plus ternes. Certaines ont l'air précieuses, d'autres paraissent sans valeur ; certaines sont voyantes, d'autres discrètes. Prises individuellement, on ne peut pas faire grand-chose de ces pierres, sinon les comparer pour juger de leur beauté et de leur valeur. Mais si toutes ces petites pierres sont assemblées pour former une mosaïque représentant la figure du Christ, qui songera à discuter l'importance de l'une ou l'autre d'entre elles ? Qu'une seule manque, même la moins spectaculaire, et la figure est incomplète. Pour l'ensemble de la mosaïque, chaque petite pièce est indispensable et contribue d'une manière unique à la gloire de Dieu. C'est de la même façon que les membres de la communauté humaine, unis et non plus séparés, rendent visible le visage de Dieu dans le monde.

Nous « levons » notre vie chaque fois que nous parlons et agissons les uns pour les autres. Une fois « tenue » et pleinement acceptée, notre vie devient une vie pour les autres. Nous cessons alors de la comparer, de nous demander si elle est meilleure ou pire, car en vivant pour les autres, non seulement affirmons-nous notre individualité, mais nous reconnaissons du même coup notre rôle irremplaçable dans la mosaïque de la famille humaine.

Nous avons trop souvent tendance à garder nos vies cachées. La honte et la culpabilité nous empêchent de montrer aux autres qui nous sommes et ce que nous vivons. Si ma famille et mes amis découvraient, pensons-nous, les mouvements désordonnés de mon cœur et les sombres pensées qui m'agitent, ils me renieraient sûrement! Mais c'est peut-être l'opposé qui est vrai. Si nous nous ouvrons à nos amis, ils seront portés à leur tour à nous livrer leurs pensées tenues si anxieusement secrètes. Les plus grandes guérisons surviennent lorsque nous réussissons à briser l'isolement dans lequel nous enferment la honte et la culpabilité et que nous découvrons que très souvent les autres ressentent ce que nous ressentons, pensent ce que nous pensons, qu'ils ont les mêmes peurs, les mêmes appréhensions et les mêmes insatisfactions que nous avons.

Lever notre coupe signifie partager notre vie afin que nous puissions en apprécier les bienfaits et la richesse. Lorsque nous serons convaincus que nous sommes appelés à vivre les uns pour les autres, nous prendrons le risque, en toute confiance, de laisser les autres nous connaître. C'est dans une communauté fondée sur l'ouverture et le partage que nous pouvons boire et vider notre coupe. Dans une telle communauté, lorsque nous levons nos coupes et disons : « À la vie ! », c'est de la « vraie » vie que nous parlons, pas seulement dans ce qu'elle a de douloureux et de triste, mais dans ce qu'elle a de joyeux et de réjouissant.

CHAPITRE 5

La coupe de bénédiction

Lever sa coupe, c'est bénir, c'est communiquer le don. La coupe du chagrin et de la joie devient la coupe de bénédiction lorsqu'elle est levée au bonheur des autres.

J'ai une anecdote à ce sujet qui m'a laissé une vive impression. Il y a quelques années, un des résidants de Daybreak, Trevor, a dû être hospitalisé pendant quelques mois pour une évaluation psychiatrique. Trevor et moi étions très attachés l'un à l'autre. Quand il me voyait arriver, il accourait vers moi avec un sourire radieux. Son grand plaisir était de me cueillir des bouquets de fleurs sauvages. Il demandait souvent à m'assister dans la célébration de l'eucharistie : il faut dire qu'il avait le sens du cérémonial et du rituel.

J'avais l'intention de lui rendre visite régulièrement durant son séjour à l'hôpital. J'ai donc appelé l'aumônier de l'établissement pour vérifier si je pouvais visiter mon ami. Il m'a répondu que j'étais le bienvenu, et il en a profité pour m'inviter à me joindre à lui, à quelques prêtres de la région et à des membres du personnel pour un dîner à l'hôpital. Sans trop penser aux implications de son invitation, j'ai accepté avec plaisir.

À mon arrivée, je fus accueilli avec chaleur par toute cette petite assemblée. Je cherchai Trevor sans le voir. « Trevor n'est pas là ? » m'inquiétai-je. « Vous pourrez le voir après dîner », répondit l'aumônier. Étonné, je demandai : « Mais ne l'avez-vous pas invité ? » « Non, non, dit-il, ça ne se fait pas. Le personnel et les patients ne prennent pas leurs repas ensemble. De plus, nous avons réservé le salon d'honneur pour cette occasion et les patients s'y sont pas admis. C'est une salle réservée au personnel. » « Trevor et moi sommes de grands amis, répliquai-je. C'est pour lui que je suis venu, et je suis sûr qu'il serait heureux de partager notre dîner. » Après quelques murmures, hésitations et regards en coin, on accepta finalement qu'il m'accompagne.

J'ai trouvé Trevor sur le terrain de l'hôpital, occupé à chercher des fleurs, comme d'habitude. Quand il m'aperçut, son visage s'illumina et il courut vers moi comme si nous n'avions jamais été séparés : « Henri ! j'ai des fleurs pour toi. » Nous sommes entrés dans la salle ensemble. La table était magnifiquement dressée, et il devait y avoir à peu près vingt-cinq personnes de rassemblées autour. Trevor et moi étions les derniers à nous asseoir. Après la prière d'ouverture, Trevor se dirigea vers la table garnie de boissons et réclama un verre de coca-cola. » Je lui en versai, pris un verre de vin pour moi et retournai à la table.

Les gens bavardaient. Plusieurs ne s'étaient jamais rencontrés et liaient connaissance. L'atmosphère était tranquille, quelque peu solennelle. Absorbé dans une conversation avec mon compagnon de droite, je ne portais pas trop attention à Trevor. Soudainement il se mit debout, prit son verre de coca-cola, le leva et, armé d'un grand sourire, il dit d'une voix forte : « Mesdames et messieurs… un toast ! » Toutes les conversations se turent et tous les regards se tournèrent vers lui, mi-surpris mi-inquiets. Je pouvais lire leurs pensées : « Que diable fait-il, celui-là ? Vaudrait mieux faire attention… » Trevor, lui, n'avait aucune inquiétude. Il regarda les invités à la ronde et lança : « Levez vos verres ! » Tout le monde s'exécuta. Et là, comme si c'était la chose la plus naturelle, il se mit à chanter : « Quand tu es heureux et que tu le sais… lève ton verre ! Quand tu es heureux et que tu le sais… lève ton verre ! Quand tu es heureux et que tu le sais, quand tu es heureux et que tu le sais, quand tu es heureux et que tu le sais… lève ton verre ! » En l'entendant chanter si joyeusement, les visages commencèrent à se détendre et à sourire. Bientôt quelques-uns entonnèrent la chanson avec lui et en peu de temps on vit tout le monde debout, chantant en chœur sous la direction de Trevor.

Le toast de Trevor avait totalement transformé l'ambiance dans le salon d'honneur de cet hôpital. Il avait rapproché les étrangers et les avaient fait se sentir chez eux. Son beau sourire et sa joie intrépide avaient fait tomber les barrières et créé une joyeuse assemblée de gens aimants et bienveillants. Cette simple action de grâces célébrant le bonheur d'être ensemble avait donné le ton pour une rencontre joyeuse et féconde. La coupe du chagrin et de la joie était devenue la coupe de bénédiction.

Bien des gens se croient victimes de la malédiction divine en raison des maladies, des deuils, des handicaps et des malheurs qu'ils ont à endurer. Ils croient que leur coupe ne contient aucune bénédiction, et ils attribuent leur sort à Dieu. C'est la coupe dont parle Jérémie : « Car Yahvé, Dieu d'Israël, me parla ainsi : Prends de ma main cette coupe de vin de colère et fais-la boire à toutes les nations vers lesquelles je vais t'envoyer ; elles boiront, chancelleront et deviendront folles, à cause de l'épée que je vais envoyer au milieu d'elles. [...] Tu leur diras : Ainsi parle Yahvé Sabaot, le Dieu d'Israël : Buvez ! Enivrez-vous ! Vomissez ! Tombez sans pouvoir vous relever, devant l'épée que je vais envoyer au milieu de vous. » Il ajoute : « Si jamais ils refusent d'accepter de ta main la coupe à boire, tu leur diras : Ainsi parle Yahvé Sabaot. Vous boirez ! Car voici : c'est par la ville qui porte mon nom que j'inaugure le malheur, et vous seriez épargnés ? Non ! vous ne serez pas épargnés, car j'appelle moi-même l'épé contre tous les habitants de la terre » (*Jérémie* 25,15-16, 27-29).

Pas surprenant que personne ne veuille se rapprocher du dieu vindicatif que Jérémie décrit. On ne trouve là aucune bénédiction. Mais au cours de son dernier repas, la veille de sa mort, ce n'est pas la coupe de la colère mais celle de la bénédiction que Jésus

prend. C'est la coupe d'une alliance nouvelle et éternelle, la coupe qui nous unit à Dieu et les uns aux
autres dans une communauté d'amour. Paul écrit au
peuple de Corinthe : « Je vous parle comme à des gens
sensés ; jugez vous-mêmes de ce que je dis. La coupe de
bénédiction que nous bénissons, n'est-elle pas communion au sang du Christ ? Le pain que nous
rompons, n'est-il pas communion au corps du
Christ ? » (*1 Corinthiens* 10,15-16)

La souffrance de l'humanité peut facilement être
perçue comme un signe de la colère de Dieu. Cela a
souvent été compris ainsi, et ça l'est encore. Comme le
déclare le psalmiste, « celui qui juge, c'est Dieu, abais-
sant l'un, élevant l'autre » (*Psaumes* 75,8). Nous-
mêmes, devant toutes les atrocités qui se commettent
dans le monde, ne disons-nous pas : « Comment un
Dieu aimant peut-il accepter que de tels événements se
produisent ? Seul un Dieu cruel et rancunier le peut. »

Jésus, cependant, fit siennes toutes les souffrances
et les éleva sur la croix, non pas comme une malédiction mais comme une bénédiction. Jésus transforma la
coupe de colère de Dieu en une coupe de bénédiction.
Tel est le mystère de l'Eucharistie. Jésus est mort pour
nous afin que nous puissions vivre. Il a versé son sang
pour nous afin que nous puissions connaître une vie
nouvelle. Il s'est donné pour nous afin que nous puissions vivre en communauté. Il s'est fait nourriture et
boisson pour la vie éternelle. C'est ce que Jésus voulait
dire quand il prit la coupe et prononça ces paroles :
« Cette coupe est la nouvelle Alliance en mon sang,

versé pour vous » (*Luc* 22,20). L'Eucharistie est ce mystère sacré qui change en bénédiction ce que nous vivions jusqu'alors comme une malédiction. Notre souffrance ne peut plus être une punition divine. Jésus en a fait la voie vers une vie nouvelle. Son sang, et le nôtre aussi, peut maintenant devenir le sang du martyre-témoignage d'une nouvelle alliance, d'une nouvelle communion, d'une nouvelle communauté.

Quand nous levons la coupe de notre vie et partageons avec ceux qui nous entourent nos souffrances et nos joies, acceptant les uns et les autres d'être vulnérables, la nouvelle alliance peut devenir visible parmi nous. L'inattendu dans tout cela, c'est que le plus petit d'entre nous est souvent celui qui nous révèle que notre coupe en est une de bénédiction.

Trevor a fait ce que personne d'autre n'aurait pu faire. Il a transformé un groupe d'étrangers en une communauté d'amour par son action de grâces spontanée. Cet homme doux et sans défense est devenu le Christ vivant parmi nous. La coupe de bénédiction est celle que les humbles ont à nous offrir.

CHAPITRE 6

À la vie

Nous levons notre coupe pour nous ouvrir les uns les autres à la vie.

À Daybreak, la célébration est une partie intégrante de notre vie communautaire. Nous célébrons les anniversaires, les arrivées et les départs, les naissances et les décès, les vœux et les renouvellements de vœux.

Les fêtes sont nombreuses aussi dans notre communauté. Elles soulignent les événements heureux et réunissent habituellement tous les ingrédients propres aux réjouissances : le boire et le manger, le chant, la danse, les conversations animées, les éclats de rire, sans oublier les discours de circonstance. Mais une célébration est plus qu'une simple fête. Pour chacun d'entre nous, c'est une occasion de marquer par une cérémonie un événement, heureux ou malheureux, et d'approfondir nos liens. Pour célébrer, il faut pouvoir lever la coupe de sa vie, la rendre visible aux autres, l'affirmer dans sa réalité et être reconnaissant pour ce qu'elle nous apporte.

Une de ces célébrations, particulièrement émou-
vante, a eu lieu à l'occasion de la parution du «Livre
d'histoire de la vie» de Bill. Un livre d'histoire de la vie
est un recueil de photos et de dessins, de récits d'événements et de lettres réunis comme en une sorte de
biographie. Quand Bill est arrivé à Daybreak, à l'âge de
seize ans, il n'apportait que très peu de souvenirs avec
lui. Il avait eu une enfance très troublée et privée de
soins affectueux. Son passé était si douloureux qu'il
avait choisi de l'oublier. C'était un homme sans
passé.

Mais les vingt-cinq années passées à Daybreak ont
fait de lui, peu à peu, un homme différent. Il s'est fait
des amis. Il a développé une relation très intime avec
une famille qu'il peut visiter les week-ends et les jours
de fête, il s'est joint à un club de bowling, a appris à
travailler le bois, et il voyage avec moi un peu partout.
Au fil des années, il s'est construit une vie qu'il vaut la
peine de se remémorer. Il a acquis aussi une liberté
intérieure où il a pu puiser le courage de retrouver le
souvenir d'expériences douloureuses de son enfance et
de reconnaître que ses parents, qui lui avaient donné la
vie, l'avaient aimé malgré leurs limites. À présent, il
avait une belle histoire à raconter. Plusieurs amis lui
ont écrit pour lui dire ce qu'ils se rappelaient de lui;
certains ont envoyé des photos ou des coupures de
journaux à propos d'événements auxquels il avait pris
part; d'autres ont fait des dessins qui exprimaient
l'amour qu'ils avaient pour lui. Après six mois de
travail, le livre était fin prêt et le temps était venu de

célébrer, pas juste un nouveau livre, mais la vie de Bill, qu'il symbolisait.

Plusieurs sont venus pour cette occasion à la cérémonie qui s'est déroulée à la chapelle. Bill tenait le livre dans ses mains et il l'a levé pour que tout le monde le voie. C'était un bel album, confectionné avec soin et avec art. Tout en étant son livre, c'était l'ouvrage de plusieurs. Alors, nous avons béni le livre et Bill qui le tenait. J'ai prié pour qu'il fasse voir à beaucoup de gens quel être remarquable il était et quelle vie fructueuse il menait.

J'ai aussi prié pour que Bill se rappelle tous les moments de sa vie, ses joies comme ses peines, avec un cœur reconnaissant. Il avait les larmes aux yeux. Après la prière, il me prit dans ses bras et éclata en sanglots. Toutes les personnes présentes, réunies en cercle autour de nous, comprirent ce qu'il éprouvait et partageaient son émotion. Sa vie avait été levée pour que tout le monde la voie et il était parvenu à croire et à montrer que c'était une vie dont il pouvait être reconnaissant. Le livre d'histoire de sa vie fait maintenant partie de ses bagages lorsque nous partons en voyage. Il a acquis la conviction que sa vie n'est pas quelque chose dont il doit avoir honte. Au contraire, c'est un don qu'il faut communiquer.

La coupe de nos chagrins et de nos joies, lorsqu'elle est levée afin que les autres la voient, devient la coupe de la vie. Nous vivons des vies tronquées parce que nous préférons oublier les expériences pénibles auxquelles il nous a fallu faire face. Le poids du passé, qui engendre souvent un sentiment de honte et de culpabilité, semble trop lourd à porter. C'est ainsi que nous réprimons une partie de nous-mêmes, et par le fait même nous vivons des demi-vies.

Pour pouvoir reconnaître comme étant nôtre tout ce qui a fait notre vie et pour vivre pleinement, nous avons véritablement besoin les uns des autres. Nous en avons besoin pour surmonter les sentiments de honte et de culpabilité et devenir reconnaissants aussi bien pour nos succès et nos réalisations que pour nos défaites et nos manquements. Ne retenons pas nos larmes, laissons-les couler, celles de la douleur comme celles du bonheur. Ces larmes sont comme de la pluie sur une terre aride : un gage de fécondité. En nous ouvrant les uns aux autres, tout ce que nous avons vécu devient un sol riche de promesses pour l'avenir.

Au delà des échanges de souhaits et de mots aimables, lever notre coupe « à la vie », c'est reconnaître que tout ce qui nous arrive est un don que nous pouvons offrir en partage. Il est bien sûr plus facile de se montrer reconnaissant pour les *bonnes* choses qui nous ont permis de devenir ce que nous sommes que d'exprimer notre gratitude pour *tout* ce qui nous est arrivé. C'est pourtant une telle gratitude qui rend notre vie féconde, parce que c'est elle qui efface l'amertume, le ressentiment, les regrets, le désir de vengeance et l'envie.

L'individualisme forcené, le « chacun pour soi », la volonté de se « débrouiller tout seul » et de se suffire à soi-même qui caractérisent notre société nous empêchent de lever la coupe de notre vie. Mais chaque fois que nous osons surmonter nos appréhensions, chaque fois que nous acceptons d'être vulnérables et de le montrer, notre vie et celle des autres s'épanouissent de façon inespérée.

TROISIÈME PARTIE

Boire la coupe

CHAPITRE 7

Boire

La coupe que nous tenons et que nous avons levée, nous devons la boire.

J'ai des souvenirs très vifs de ma première année à l'Université de Nimègue, en Hollande. Je venais tout juste d'être ordonné prêtre et le cardinal Alfrink m'avait encouragé à entreprendre des études en psychologie. Mais avant que l'année scolaire ne débute, nous devions passer par une longue cérémonie d'initiation afin d'être accepté dans la société estudiantine et d'en devenir un membre à part entière. Boire de la bière était certainement la façon de faire ses preuves. Je n'étais pas habitué à boire autant de bière, je n'ai donc pas accompli de prouesses dans ce domaine. Mais une fois accepté dans la confrérie et m'étant fait quelques amis, « prendre un verre ensemble » est devenu la formule exprimant le mieux le sentiment d'appartenance et le désir d'échanger, de manifester un intérêt mutuel, d'avoir une bonne conversation. « Allons prendre une bière ! » « Tu veux un café ? » « Rencontrons-

nous pour le thé. » « Puis-je t'offrir une Heineken ? »
« Un autre verre de vin ? » « Allons, ne te fais pas prier,
laisse-moi t'en verser un autre… tu le mérites bien. »
Ces expressions et d'autres semblables créaient une
atmosphère de camaraderie et de convivialité.

Peu importe le pays ou la culture, prendre un verre
ensemble est un signe d'amitié, d'intimité et de paix.
On ne boit pas uniquement parce qu'on a soif. On boit
pour « briser la glace », pour amorcer une conversation,
pour manifester ses intentions, pour exprimer l'amitié
et la bonne volonté, pour créer un climat propice à une
rencontre romantique et pour être ouvert, vulnérable
et accessible. Il n'y a rien d'étonnant à ce que des gens
fâchés contre nous, venus nous accuser ou nous har-
celer, refusent le verre que nous leur offrons. Ils diront
plus volontiers : « Je vais aller droit au but, voici pourquoi je suis ici. » Refuser un verre, c'est refuser l'intimité.

Dans le pire des cas, boire ensemble c'est signifier :
« Nous nous faisons suffisamment confiance pour ne
pas chercher à nous empoisonner. » [À une certaine
époque, lorsqu'on redoutait une traîtrise, pour s'assurer que le vin n'était pas empoisonné on choquait les
verres de manière à ce que quelques gouttes giclent
dans le verre de l'autre.] Dans le meilleur des cas, c'est
dire : « Je veux me rapprocher de toi et célébrer la vie
avec toi. » Boire un verre ensemble est une invitation à
franchir les frontières qui nous séparent et à reconnaître notre humanité partagée. Le fait de boire ensemble peut revêtir une véritable dimension spirituelle

quand il devient l'affirmation de notre unité comme enfants de Dieu.

Le monde est rempli de lieux pour boire : des bars, des pubs, des cafés, des maisons de thé. Même lorsque nous sortons pour manger, la première question que nous pose le serveur est toujours : « Puis-je vous offrir quelque chose à boire ? » C'est aussi une des premières questions que nous posons à nos invités lorsqu'ils entrent chez nous.

Il y a des contextes qui nous disposent à prendre un verre et d'autres pas. Nous le faisons beaucoup plus volontiers quand nous nous sentons, du moins pour un moment, à l'aise avec nous-mêmes et en sécurité avec les autres. Prendre une tasse de café pour interrompre un travail, s'arrêter pour le thé en après-midi, prendre un « apéro » avant le souper, prendre un verre de vin avant d'aller se coucher, voilà qui nous permet de nous dire à nous-mêmes ou aux autres : « Il fait bon d'être en vie malgré tout ce qui se passe ; il faut se le rappeler et se le redire souvent. »

Boire la coupe de la vie nous permet de faire nôtre tout ce que nous vivons. C'est dire : « C'est ma vie », mais aussi : « C'est la vie que je veux ». Boire notre coupe, c'est nous approprier et intérioriser nos expériences dans ce qu'elles ont d'uniques, chagrins et joies entremêlés.

Ce n'est pas facile, tant s'en faut. À certains moments, parfois durant de longues périodes, nous ne nous sentons pas capables d'accepter notre vie ; nous la refusons, nous nous battons pour qu'elle soit meilleure, tout au moins différente. Il arrive aussi que nous protestions contre un destin que nous n'avons pas choisi: notre lieu d'origine, nos parents, la couleur de notre peau, notre orientation sexuelle, notre caractère, notre degré d'intelligence, notre apparence physique: tout nous échoit sans que nous l'ayons voulu, tout semble réglé d'avance. C'est alors la rancœur et l'amertume qui nous guettent: «C'est injuste! J'aurais dû naître dans un autre corps, à une autre époque. Pourquoi dois-je être cette personne? Pourquoi est-ce à moi que cela arrive?»

Pourtant, au fur et à mesure que nous apprivoisons notre propre réalité, que nous apprenons à la regarder avec compassion et que nous devenons capables de découvrir toutes les possibilités que recèle notre façon unique d'être au monde, les protestations et les récriminations se taisent, et nous pouvons porter la coupe à nos lèvres et la boire lentement, mais complètement.

Souvent, lorsque nous souhaitons apporter du réconfort à quelqu'un, nous lui disons: «Eh bien, c'est triste que cela te soit arrivé, mais essaie d'en tirer le meilleur parti.» «En tirer le meilleur parti», n'est-ce pas ce que boire la coupe veut dire? S'adapter à une situation en essayant de l'utiliser au meilleur de nos capacités, mais aussi et surtout vivre dans l'espérance et avoir foi en soi. Boire notre coupe, c'est se tenir dans le monde la tête haute, solidement ancré dans la conscience de qui nous sommes, en faisant face à la réalité qui nous entoure et en y répondant avec notre cœur.

Toutes les personnalités marquantes, illustres ou inconnues, ont bu leur coupe, ont assumé leur condition et leur destin sans avoir peur, sachant que la vie qui leur était donnée méritait d'être vécue pleinement, devant Dieu et le peuple de Dieu, pour ainsi porter beaucoup de fruits. Ils avaient besoin que leur vie porte fruit. Jésus, le fils d'un menuisier de Nazareth — « Peut-il sortir quelque chose de bon de Nazareth ? » demandaient les gens (*Jean* 1,46) — but sa coupe jusqu'à la lie, si amère fût-elle. Tous les disciples l'ont fait aussi, chacun à sa façon, selon sa personnalité.

La grandeur spirituelle ne tient pas au fait d'être plus grand que les autres. Elle réside dans le fait, pour chacun, d'atteindre sa pleine grandeur. La vraie sainteté consiste précisément à boire notre coupe avec la confiance qu'en agissant ainsi, nous pouvons devenir une source d'espoir pour beaucoup d'autres.

Mais comment boire notre coupe, concrètement, dans notre vie quotidienne ? Comment nous approprier ce qui nous est donné ? Plus ou moins confusément, nous savons que quand nous ne buvons pas notre coupe, nos vies deviennent inauthentiques, superficielles et sans intérêt : en voulant nous protéger du malheur, nous écartons du même coup le bonheur. Coupés d'une partie de nous-mêmes et de notre vie, nous en perdons la maîtrise et devenons des marionnettes à la merci des intérêts et des désirs des autres. Mais il n'est pas obligatoire qu'il en soit ainsi. Nous pouvons choisir de boire notre coupe avec la profonde conviction que c'est là que nous trouverons notre véritable liberté, et que nous ferons de la coupe du chagrin et de la joie la coupe du salut.

CHAPITRE 8

La coupe du salut

Gordie Henry, qui est trisomique, fait partie du noyau de la communauté. Un jour, il m'a dit : « Ce qui est bien dans notre vie, c'est de nous faire tant d'amis. Ce qui est difficile, c'est de voir tant d'amis nous quitter. » Par cette simple observation, Gordie pénétrait au cœur de la réalité interhumaine, là où la joie et le chagrin se confondent. Étant à Daybreak depuis longtemps, Gordie a connu plusieurs éducateurs et aides-enseignants. Originaires de différents pays, ils étaient venus pour un été, pour un an, quelquefois pour plusieurs années. Tous aimaient beaucoup Gordie qui les a aussi aimés en retour. De forts attachements et de profonds liens d'amitié s'étaient tissés.

Mais, tôt ou tard, ils partaient. Certains pour se marier, d'autres pour continuer leurs études ; certains perdaient leur permis de travail, d'autres cherchaient une nouvelle direction à leur vie ; d'autres enfin découvraient que la vie en communauté n'était pas faite pour eux. Cependant, Gordie, lui, restait, et toutes ces séparations le faisaient souffrir intensément.

Un jour, Jean Vanier, le fondateur de l'Arche, est venu nous visiter. Il rassembla toute la communauté autour de lui. «Quelle question voudriez-vous le plus me poser?» demanda-t-il. Thelus, qui vivait elle aussi depuis longtemps à Daybreak, leva la main: «Pourquoi les gens nous quittent-ils toujours?» Jean comprit que la question n'était pas seulement celle de Thelus, mais aussi celle de Gordie et de tous les autres qui étaient là depuis longtemps. Doucement, il s'approcha d'elle et lui répondit: «Tu sais, Thelus, c'est la question la plus importante que tu pouvais poser. Toi et plusieurs autres voulez faire de Daybreak votre foyer, là où vous pouvez vous sentir aimés et protégés. Alors qu'est-ce que cela veut dire lorsque, si souvent, quelqu'un que tu aimes et qui t'aime quitte ta maison, parfois pour toujours? Tu peux avoir l'impression que ces gens ne t'aimaient pas vraiment! Parce que s'ils t'aimaient, pourquoi te quitteraient-ils?»

Tout le monde le regardait et l'écoutait attentivement, sachant bien qu'il comprenait leur douleur et qu'il se souciait d'eux. «Vos joies et vos douleurs vous donnent une mission, leur dit-il. Ceux qui sont venus vivre avec vous, de qui vous avez beaucoup reçu et à qui vous avez beaucoup donné, ne vous quittent pas vraiment. Vous les renvoyez dans leur école, dans leur pays, dans leur famille afin d'y apporter un peu de cet amour qu'ils ont vécu avec vous. C'est dur. C'est douloureux de les laisser partir. Mais lorsque vous réaliserez que c'est une mission, vous serez capables d'envoyer vos amis afin qu'ils puissent continuer leur voyage, et ce, sans perdre la joie qu'ils vous ont apportée. »

Ces paroles simples et directes nous allaient droit au cœur parce qu'elles nous faisaient voir d'une tout autre façon, dans une continuité, ce que nous éprouvions comme un déchirement. La coupe des joies et des chagrins devenait la coupe du salut.

Boire notre coupe n'est possible que lorsqu'elle nous apporte la santé, la force, la liberté, l'espérance et le courage — une vie nouvelle. Personne ne la boirait si elle nous rendait malades et misérables. Nous la buvons parce qu'elle nous guérit et qu'elle nous sauve.

> Le Seigneur a pitié, il est juste,
> notre Dieu est tendresse [...]
> Je crois, lors même que je dis :
> « Je suis trop malheureux »,
> moi qui ai dit dans mon trouble :
> « Tout homme n'est que mensonge. »
> Comment rendrai-je au Seigneur
> tout le bien qu'il m'a fait ?
> J'élèverai la coupe du salut
> en appelant le nom du Seigneur
>
> (*Psaume* 116,5,10-13)

Ici, le mystère s'éclaircit. L'union et la séparation, l'amour et la trahison, la tendresse et l'indifférence, la générosité et la mesquinerie, toutes ces expériences peuvent devenir le chemin menant à la vraie liberté humaine. Pas plus que de pur chagrin il n'existe de joie sans mélange. Oui, les gens qui nous aiment nous désappointent aussi, des moments de grande satisfaction révèlent aussi des besoins non comblés, un chez-soi protecteur peut aussi devenir un lieu d'isolement. Mais toutes ces tensions peuvent créer en nous un profond désir de libération : nous révélant nos limites, elles nous appellent à les dépasser.

Jésus a connu la louange, l'adulation, l'admiration et une immense popularité. Il a aussi connu le rejet, la dérision et la haine. Un jour, le peuple criait « Hosanna », le lendemain : « Crucifiez-le ». Jésus a tout pris, pas à la manière d'un héros adulé puis déchu, mais comme celui qui avait une mission à accomplir et qui ne l'a jamais perdu de vue, en dépit de tout. Jésus savait au plus profond de lui-même qu'il devait boire la coupe afin d'achever l'œuvre qu'Abba — son père qu'il aimait tant — lui avait confiée. Il savait que de boire la coupe lui apporterait la liberté et la plénitude. Il savait que de boire la coupe le mènerait, au-delà des pièges et des leurres, à la libération, au-delà de l'angoisse de la mort, jusqu'à la gloire de la résurrection. Cette connaissance avait peu à voir avec la compréhension ou l'entendement. C'était la connaissance d'un cœur façonné par l'amour infini.

Ainsi, la coupe que Jésus a bue est devenue la coupe du salut. Dans le jardin de Gethsémani, le jardin de l'effroi, Jésus s'est écrié lui aussi : « Tout homme n'est que mensonge […] J'élèverai la coupe du salut en appelant le nom du Seigneur. » Boire la coupe du salut veut dire vider la coupe du chagrin et de la joie afin que Dieu la remplisse de pure vie.

Mais de quoi avons-nous besoin d'être sauvés? La réponse traditionnelle — et la bonne — est: du péché et de la mort. Nous sommes piégés par le péché et la mort comme dans une chausse-trappe.

Si nous pensons pour un moment à toutes nos dépendances — l'alcool, la drogue, la nourriture, le jeu, le sexe — nous avons déjà une idée de ce piège. À cela s'ajoutent d'autres servitudes plus subtiles: nous nous sentons souvent obligés d'agir, de parler et même de penser d'une certaine façon, comme si nous ne pouvions pas faire autrement. Certaines gens accomplissent des actes qui semblent irrationnels, comme de se laver les mains de façon répétitive ou de replacer continuellement les objets qui ont été déplacés; d'autres sont méticuleux à l'extrême ou assaillis par des idées fixes: ils ont des comportements compulsifs. Mais finalement, nous avons tous nos obsessions. Une idée, un projet, un passe-temps peuvent nous obséder au point que nous en devenons esclaves.

Ces dépendances, compulsions et obsessions révèlent à quel point nous sommes pris au piège. Elles nous montrent notre condition pécheresse puisqu'elles contredisent notre liberté d'enfant de Dieu et nous assujettissent aux limites de ce monde. Le péché nous pousse à vouloir créer notre vie selon nos désirs, ignorant, refusant ainsi la coupe qui nous est donnée. Le péché nous rend esclaves de la «chair», de notre condition de créature, comme l'explique saint Paul: «On sait bien tout ce que produit la chair: fornication, impureté, débauche, idolâtrie, magie, haine, discorde, jalousie, emportements, disputes, dissensions, scissions, sentiments d'envie, orgies, ripailles et choses semblables » (*Galates* 5,19-21).

La mort aussi nous piège. Elle nous cerne de toutes parts : menace nucléaire, arme bactériologique, conflits internationaux, affrontements interethniques, famines, avortement et euthanasie, maladies incurables et endémiques. Tôt ou tard, inéluctablement, la mort nous rattrape. Peu importe la direction dans laquelle nous courons, elle nous traque. Chaque jour nous apporte son lot d'inquiétudes au sujet de la santé d'un parent, d'un ami ou de la nôtre. Pas un jour ne se passe que nous ne subissions les atteintes de la mort.

Le péché et la mort nous piègent. Boire la coupe, comme l'a fait Jésus, est la seule manière de nous en libérer. C'est la voie du salut. C'est une voie difficile, douloureuse, une voie que nous tentons d'éviter par tous les moyens. Parfois, cela semble une voie impossible. Cependant, à moins que nous soyons prêts à boire notre coupe, la vraie liberté continuera à nous échapper. Et il ne s'agit pas seulement de la liberté qui vient après avoir complètement vidé notre coupe, c'est-à-dire après notre mort. Non, il s'agit de la liberté que nous expérimentons chaque fois que nous buvons — peu ou beaucoup — à la coupe de la vie.

Le salut n'est pas un but pour l'après-vie. Le salut est une réalité à laquelle nous pouvons goûter ici et maintenant. Quand je m'assois avec Adam pour l'aider à manger, avec Bill pour discuter, avec Suzanne pour prendre un café, avec David pour déjeuner ou lorsque j'embrasse Michael, donne un baiser à Patsy et prie avec Gordie, le salut est là. Lorsque nous nous asseyons ensemble autour de l'autel et que j'offre à tous ceux présents la coupe remplie de vin, je peux proclamer en toute certitude : « Ceci est la coupe du salut. »

CHAPITRE 9

Vider la coupe

Vivre pleinement, c'est boire notre coupe jusqu'à ce qu'elle soit vide, confiant que Dieu l'emplira de vie éternelle.

Nous avons cependant besoin de pratiques spirituelles concrètes pour nous aider à intérioriser nos joies et nos peines, et trouver en elles notre chemin unique vers la liberté intérieure. Trois voies spirituelles — celles du silence, de la parole et de l'action — peuvent nous aider à boire la coupe du salut.

Le silence

Il va sans dire qu'être dans le silence ne signifie pas être inactif, puisque c'est précisément dans le silence que nous nous retrouvons face à notre être véritable. La tristesse et le malheur sont parfois si accablants que nous ferions n'importe quoi pour ne pas y faire face. La radio, la télévision, les journaux, la lecture, le cinéma, mais aussi le travail et une vie sociale bien remplie peuvent être des façons de se fuir et de vivre notre vie à la manière d'un long divertissement.

Le mot divertissement est important ici. Il signifie littéralement « action de détourner ». Le divertissement est tout ce qui nous détourne des choses auxquelles il est difficile de faire face. Se divertir, c'est se distraire, s'amuser, passer le temps. Le divertissement a souvent un effet bénéfique. Il nous donne un répit, nous permet d'oublier nos inquiétudes et nos peurs pour un moment. Mais lorsque nous vivons notre vie comme un long divertissement, nous perdons contact avec notre âme et devenons des spectateurs ou des figurants d'un spectacle qui ne se renouvelle jamais. Même une occupation utile et productrice peut devenir une façon d'oublier ce que nous sommes vraiment. Il n'est pas surprenant que, pour plusieurs, la perspective de la retraite soit angoissante. Que serons-nous quand il n'y aura plus rien pour nous tenir occupés ?

Le silence est la pratique spirituelle qui nous aide à dépasser le stade du divertissement. C'est dans le silence que nos chagrins, et les joies qui y sont mêlées, sortent de leur cachette ; nous pouvons alors les regarder sans peur, puisqu'ils nous appartiennent, et nous frayer, entre les ombres et les clairs, un chemin qui mène à la liberté. Nous pouvons trouver le silence dans la nature, dans une église, dans un centre de méditation ou dans notre maison. Quel que soit le moyen de l'atteindre, nous devrions le chérir. Parce que c'est dans le silence que nous pouvons vraiment connaître ce que nous sommes et le reconnaître progressivement comme un don de Dieu.

Au début, le silence peut nous effrayer. Car ce sont d'abord les voix surgies de l'ombre que nous entendons: celle de la jalousie et de la colère, du ressentiment et du désir de vengeance, de la convoitise et de l'avidité; celle aussi de la douleur provoquée par les pertes, les abus et les rejets. Ces voix sont souvent brutales et bruyantes. Elles peuvent même nous assourdir. Notre réaction spontanée est de les fuir et de continuer à nous distraire.

Mais si nous avons le courage de le supporter et de ne pas nous laisser intimider par ce tumulte, il perdra graduellement de sa force et s'affaiblira et les voix douces et réconfortantes venant de la lumière pourront se faire entendre à leur tour.

Ces voix parlent de paix, de bonté, de douceur, d'espoir, de pardon et, surtout, d'amour. Elles peuvent d'abord sembler petites et insignifiantes et nous pouvons avoir de la difficulté à leur faire confiance. Néanmoins, elles sont très persistantes et elles deviendront plus fortes si nous continuons à les écouter. Elles viennent de très profond et de très loin. Elles nous parlaient avant même que nous soyons au monde, et elles nous révèlent qu'il n'y a pas de ténèbres dans Celui qui nous a envoyé dans ce monde, seulement de la lumière.

Elles sont l'écho de la voix de Dieu qui nous appelle de toute éternité: «Mon enfant bien-aimé, mon favori, ma joie...»

Le vacarme de ce monde étouffe continuellement ces voix douces et rassurantes. Elles n'en sont pas moins les voix de la vérité. Elles ressemblent à cette voix qu'entendit Élie sur le mont Horeb. Là, Dieu passa près de lui non pas comme un ouragan, ni dans un tremblement de terre, ni dans un feu, mais dans «le bruit d'une brise légère» (*1 Rois* 19,11-13). Ce vent tranquille chasse nos peurs, nous permettant de contempler la réalité, notre réalité, sans chercher à nous leurrer.

La parole

Il ne suffit pas de prendre conscience de notre réalité dans le silence; nous devons aussi la reconnaître comme étant nôtre en présence d'amis en qui nous avons confiance. Pour ce faire, il faut parler de ce qu'il y a dans notre coupe. Aussi longtemps que nous vivrons nos vérités les plus profondes en secret, isolés d'une communauté d'amour, elles resteront un fardeau. La peur de voir les autres découvrir ce que nous sommes nous fait séparer notre vie intérieure — le vrai soi — de notre vie publique — le faux soi. N'ayant pas la possibilité de vivre nos vrais sentiments, nous en arrivons à nous déprécier ou à nous mépriser, même lorsque les autres nous apprécient ou nous admirent.

Pour nous connaître vraiment et reconnaître complètement notre vie dans ce qu'elle a d'unique, nous devons être connus et reconnus par les autres pour qui nous existons. Nous ne pouvons pas vivre une vie spirituelle en secret. Nous ne pouvons pas trouver le chemin vers la vraie liberté en nous isolant. Le silence sans la parole est aussi dangereux que la solitude sans la communauté. Ils sont inséparables.

Parler de notre coupe et de ce qu'elle contient ne se fait pas sans peine. Cela requiert de la détermination et de la ténacité parce que, de même que nous fuyons le silence pour éviter la confrontation avec nous-mêmes, de même nous nous gardons des confidences pour éviter la confrontation avec les autres.

Je ne veux pas dire que toutes les personnes que nous rencontrons ou que nous connaissons doivent savoir ce qui est dans notre coupe. Au contraire, ce serait manquer de tact, de perspicacité et même de prudence que d'exposer notre être intérieur à des gens qui ne peuvent nous offrir ni la sécurité ni le réconfort. Cela ne crée pas la communauté ; cela ne cause que de l'embarras mutuel et accroît notre honte et notre culpabilité. Mais je dis que nous avons besoin d'amis qui nous aiment et avec qui nous pouvons parler à cœur ouvert. De tels amis peuvent lever la paralysie et l'impuissance dont le secret nous frappe. Ils peuvent nous offrir un lieu sûr et sacré, où nous pouvons exprimer nos plus profonds chagrins et nos plus grandes joies ; ils peuvent nous inciter à mettre en question notre façon d'aimer, nous mettant au défi d'atteindre une plus grande maturité spirituelle. On pourrait m'objecter : « Je n'ai pas d'amis en qui j'ai confiance à ce point et je ne saurais pas comment en trouver. » Ces objections proviennent de nos peurs de boire la coupe que Jésus nous demande de boire.

Lorsque nous serons totalement engagés dans l'aventure spirituelle qui nous appelle à boire et à vider notre coupe, nous découvrirons bientôt que les gens qui font le même voyage que nous nous offriront leur réconfort, leur amitié et leur amour. J'ai été témoin que Dieu envoie des amis merveilleux à ceux qui font de lui leur unique préoccupation. C'est le mystérieux paradoxe dont parle Jésus quand il dit que lorsque nous quittons ceux qui nous sont chers, à cause de lui et à cause de l'Évangile, nous recevons le centuple en soutien moral (voir *Marc* 10,29-30).

Lorsque nous osons ouvrir les profondeurs de notre cœur aux amis que Dieu nous donne, nous trouvons graduellement une nouvelle liberté à l'intérieur de nous et un courage de vivre décuplé. Quand nous croirons vraiment que nous n'avons rien à cacher à Dieu, nous saurons nous entourer d'amis qui seront pour nous des représentants de Dieu et à qui nous pourrons nous révéler avec une totale confiance.

Rien ne nous donnera autant de force que d'être complètement connus et totalement aimés par des êtres humains vivant pour l'amour de Dieu. Cela nous donne le courage de boire notre coupe jusqu'au fond, sachant que c'est la coupe du salut. Cela nous permettra non seulement de bien vivre mais aussi de bien mourir. Quand nous sommes entourés d'amis qui nous aiment, la mort devient un chemin vers la pleine communion des saints.

L'action

Tout comme le silence et la parole, l'action nous aide à reconnaître notre vrai moi et à nous réaliser pleinement. Cette tâche exige cependant une certaine ascèse, la vie quotidienne étant pleine d'obligations et de sollicitations : « Fais ci, fais ça, viens ici, va là, rencontre celui-ci, rencontre celle-là. » Être occupé est d'ailleurs devenu un signe d'importance. Avoir beaucoup à faire, plusieurs endroits où aller et de nombreuses personnes à rencontrer : tout ça nous donne un statut et même une réputation. Par contre, être occupé peut nous éloigner de notre vraie vocation et nous empêcher de boire notre coupe.

D'un autre côté, comment distinguer entre ce que nous sommes appelés à faire et ce que nous voulons faire. Nos désirs peuvent facilement nous distraire de notre vraie tâche, celle qui nous mène à l'accomplissement de notre vocation. Que nous travaillions dans un bureau, une usine ou un hôpital ; que nous voyagions à travers le monde, écrivions des livres, réalisions des films ou prenions soin de pauvres ; que nous soyons un chef ou occupions une fonction subalterne, la question n'est pas « Qu'est-ce que je veux le plus ? » mais « Quelle est ma vocation ? » La plus prestigieuse des fonctions dans la société peut constituer une réponse à notre appel aussi bien qu'un refus d'entendre cet appel, et la plus humble des fonctions, une réponse à notre vocation aussi bien qu'une façon de l'esquiver.

Nous devons choisir avec discernement les actions grâce auxquelles nous pourrons boire notre coupe jusqu'à ce qu'elle soit vide, si bien qu'à la fin de nos vies nous puissions dire avec Jésus : « C'est achevé » (*Jean* 19,30). Là est le paradoxe : nous remplissons notre vie en la vidant. Jésus l'a dit : « Celui qui aura perdu sa vie pour moi la trouvera » (*Matthieu* 10,39).

Lorsque nous sommes engagés à faire la volonté de Dieu et non la nôtre, nous découvrons rapidement que beaucoup de ce que nous faisions n'avait pas besoin d'être fait par nous. Ce que nous sommes appelés à faire, ce sont des actions qui nous apportent la vraie joie et la paix. Si quitter ceux qui nous sont chers pour l'amour de Dieu nous apporte des amis, à plus forte raison en ira-t-il de même lorsque nous renoncerons à des activités qui ne sont pas en accord avec notre vocation.

Les activités qui mènent au surmenage, à l'épuisement et à la dépression ne contribuent pas à la gloire de Dieu, à la perfection à laquelle est appelée la création. Ce que Dieu nous appelle à faire, nous *pouvons* le faire et *bien* le faire. Quand nous écoutons en silence la voix de Dieu et que nous en parlons avec des amis en qui nous avons confiance, nous devenons conscients de ce à quoi nous sommes appelés et nous l'accomplissons avec un cœur reconnaissant.

Le silence, la parole et l'action nous indiquent la voie à suivre et nous font progresser, pas à pas, jusqu'à notre but. En cours de route, nous rencontrerons des obstacles, des chemins impraticables, mais aussi des paysages splendides ; nous traverserons de longs déserts et longerons des rivières bordées d'arbres ; nous croiserons des malfaiteurs qui voudront nous attaquer et nous voler, mais nous nous ferons aussi de merveilleux amis. Nous nous demanderons souvent si nous pourrons y arriver, mais un jour nous verrons s'avancer vers nous Celui qui nous attendait de toute éternité pour nous accueillir à la maison.

Oui, nous pouvons boire la coupe de notre vie, et à mesure qu'elle se videra, nous comprendrons que Celui qui nous a appelés « mon enfant bien-aimé » avant même notre naissance est en train de la remplir de vie éternelle.

CONCLUSION

La réponse

Il existe des coupes de toutes sortes : en or, en argent, en bronze, en cristal ; certaines finement taillées ou magnifiquement ornées ; d'autres très simples, aux formes élégantes, et des coupes ordinaires, en verre. Peu importe leur forme ou leur valeur, elles servent toutes à boire. Boire, comme manger, est une des activités humaines les plus universelles. Nous buvons pour rester en vie, mais parfois la boisson nous tue. Dire de quelqu'un qu'il « boit trop », c'est faire allusion à l'alcoolisme et aux problèmes sociaux et familiaux qui en découlent. Mais lorsqu'on nous dit : « Viens prendre un verre avec nous », nous y voyons un geste d'amitié et d'hospitalité, un signe d'intimité et de célébration.

Ce n'est pas tellement surprenant que la coupe soit un symbole universel. En plus d'être utilisée dans de nombreuses occasions, elle représente et exprime des expériences et des sentiments humains variés.

Elle peut symboliser la victoire. Dans plusieurs compétitions sportives, les vainqueurs obtiennent une coupe; souvent le championnat lui-même est désigné par le mot «coupe»: coupe de tennis, coupe de football. Ces trophées sont très convoités car ils représentent le succès, la vaillance, l'habileté, la force et la renommée.

La coupe est parfois symbole de mort. La coupe d'argent de Joseph, trouvée dans le sac de Benjamin, signifiait sa perte. Les coupes d'Isaïe et de Jérémie sont les coupes de la colère de Dieu et de la destruction. La coupe de Socrate était empoisonnée et elle lui a été donnée pour son exécution.

La coupe dont parle Jésus n'est ni un symbole de victoire ni un symbole de mort. C'est la coupe de la vie, remplie de chagrins et de joies que nous pouvons tenir, lever et boire comme une bénédiction et une voie du salut. «Pouvez-vous boire la coupe que je vais boire?» nous demande Jésus. C'est une question qui a un sens différent selon les jours. Pouvons-nous accueillir tout ce que la vie nous réserve, jour après jour? À certains moments, cela peut nous sembler exaltant, et nous répondons spontanément *oui* à la question de Jésus. À d'autres moments, c'est notre être tout entier qui semble s'y refuser. Il nous faut être attentif aux consentements comme aux refus si nous voulons comprendre la question de Jésus et en mesurer toute la portée.

Jacques et Jean n'avaient pas la moindre idée de ce à quoi ils consentaient. Ils ne comprenaient pas qui était Jésus et quelle était sa mission. Ils ne pouvaient pas imaginer que Jésus, le Seigneur, serait trahi, torturé et qu'il mourrait sur une croix. Ils ne soupçonnaient pas non plus que leur propre vie serait marquée par les voyages épuisants, les persécutions et le martyre, et que par leur consentement, ils s'associaient aux souffrances de Jésus.

Et quelle était la récompense pour tout cela? La mère de Jacques et de Jean voulait obtenir une faveur concrète : « Ordonne que mes deux fils que voici siègent, l'un à ta droite et l'autre à ta gauche, dans ton Royaume » (*Matthieu* 20,21). Ils avaient donc tous trois une idée précise de ce qu'ils voulaient : le pouvoir, l'influence, le succès et la richesse. Ils se préparaient à jouer un rôle important lorsque l'occupant romain serait expulsé et que Jésus établirait son royaume et formerait son conseil de ministres.

Néanmoins, en dépit de toutes leurs perceptions erronées, ils avaient été profondément touchés par Jésus. En sa présence, ils avaient connu quelque chose de radicalement nouveau, quelque chose qui dépassait tout ce qu'ils avaient pu imaginer. Cela avait un rapport avec la liberté intérieure, l'amour, la sollicitude, l'espérance et, plus que tout, avec l'Être infini de Dieu. Oui, ils voulaient du pouvoir et de l'influence mais, par-dessus tout, ils voulaient rester près de Jésus. Le cours ultérieur de leur vie leur fit découvrir graduellement ce à quoi ils avaient dit *oui*. Ils apprirent à être des serviteurs plutôt que des maîtres, à occuper la dernière place plutôt que la première, à donner leur vie plutôt que de diriger celle des autres. Chaque fois, ils devaient à nouveau faire un choix. Voulaient-ils rester avec Jésus ou partir? Voulaient-ils suivre le chemin de Jésus ou chercher ailleurs le pouvoir qu'ils désiraient?

Plus tard, Jésus les mit au défi directement: «Voulez-vous partir, vous aussi?» Simon-Pierre lui répondit: «Seigneur, à qui irions-nous? Tu as les paroles de la vie éternelle. Nous, nous croyons, et nous avons reconnu que tu es le Saint de Dieu» (*Jean* 6, 67-69). Ses amis et lui avaient entrevu le royaume dont parlait Jésus. Mais la question demeurait: «Pouvez-vous boire la coupe?» Ils ont dit oui à chaque fois. Et quelle serait leur place dans le Royaume? Ils n'auraient peut-être pas la place à laquelle ils s'attendaient, mais pourraient-ils au moins être plus près de Jésus que les autres disciples?

La réponse de Jésus est aussi directe que sa question: «quant à siéger à ma droite et à ma gauche, il ne m'appartient pas d'accorder cela, mais c'est pour ceux à qui mon Père l'a destiné» (*Matthieu* 20,23). Boire la coupe n'est pas un geste héroïque procurant une belle récompense! Ce n'est pas du donnant, donnant. C'est un geste d'amour désintéressé, un geste de confiance sans limite, un geste de soumission à un Dieu qui nous donnera ce dont on a besoin lorsque l'on en aura besoin.

L'invitation de Jésus à boire cette coupe sans nous offrir de récompense: voilà le plus grand défi de la vie spirituelle. Cela dépasse toutes les espérances et les calculs humains. Cela défie tous nos désirs de planifier, de tout connaître à l'avance. Cela renverse nos espoirs d'un futur prévisible et démolit les dispositifs de sécurité que nous nous sommes inventés. Cela demande la plus radicale confiance en Dieu, la même confiance qui fit que Jésus a bu la coupe jusqu'à la lie.

Boire la coupe que Jésus a bue, c'est vivre une vie dans et avec l'esprit de Jésus qui est l'esprit d'amour inconditionnel. L'intimité entre Jésus et Abba, son Père, est une intimité fondée sur la confiance absolue, dans laquelle il n'y a pas de jeu de pouvoir, pas de promesse mutuelle, pas d'entente préalable. C'est de l'amour pur, sans restriction et sans limite. Totalement ouvert, absolument libre. Cette intimité a donné à Jésus la force de boire sa coupe. Jésus veut partager cette intimité avec nous afin que nous puissions boire la nôtre. Cette intimité porte un nom, un nom divin : l'Esprit saint. Vivre une vie spirituelle, c'est vivre une vie dans laquelle l'Esprit saint, en répandant l'amour dans les cœurs, nous guide et nous donne la force de répondre *oui* à la grande question.

ÉPILOGUE

Une seule coupe, un seul corps

Quarante ans déjà que le cardinal Bernard Alfrink m'a ordonné prêtre et que mon oncle Anton m'a donné son calice doré.

Le matin suivant, je célébrais ma première messe dans la chapelle des sœurs du séminaire. J'étais debout devant l'autel, le dos aux sœurs qui avaient été si bonnes pour moi durant mes six années d'études de philosophie et de théologie, et j'ai récité lentement toutes les prières et les lectures en latin. Durant l'offertoire, j'ai tenu le calice avec un grand soin. Après la consécration, je l'ai levé au-dessus de ma tête afin que les sœurs puissent le voir. Et, pendant la communion, après avoir pris et donné le pain consacré, j'ai bu à la coupe puisque j'étais le seul à qui il était permis de le faire à l'époque.

C'était une expérience mystique et intime. La présence de Jésus était plus vraie pour moi que celle de n'importe quel autre ami. Après, je me suis agenouillé longtemps ; j'étais submergé par la grâce de ma prêtrise.

Durant les quarante ans qui ont suivi, j'ai célébré l'eucharistie tous les jours sauf quelques rares exceptions et je ne peux concevoir ma vie sans cette expérience d'intime communion avec Jésus. Beaucoup de choses ont changé toutefois. Aujourd'hui, je m'assois à une table basse entouré d'hommes et de femmes handicapés. Nous lisons et prions tous en anglais. Lorsque les offrandes du pain et du vin sont amenées à la table, le vin est versé dans de grandes coupes de verre, tenues par moi et les ministres qui vont distribuer l'eucharistie. Pendant la prière eucharistique, le pain et la coupe sont levés afin que tout le monde puisse voir les offrandes consacrées et afin de prendre conscience de la présence du Christ parmi nous. Alors le corps et le sang du Christ sont offerts comme nourriture et boisson à toute l'assemblée. Et lorsque nous offrons la coupe à l'un et à l'autre, nous nous regardons dans les yeux et disons: «Le sang du Christ».

Cet événement quotidien a approfondi nos vies au cours des ans et nous a rendus plus conscients de ce que nous vivons à chaque jour. Nos chagrins et nos joies font partie intégrante du mystère de la mort et de la résurrection du Christ. Cette simple célébration, presque cachée dans le sous-sol de notre petite maison de prière, permet de vivre la vie de chaque jour non pas comme une succession de rencontres et d'événements fortuits, mais comme le jour que le Seigneur a choisi pour nous faire connaître sa présence.

Tellement de choses ont changé! Et pourtant, rien n'a tellement changé. Il y a quarante ans, je ne pouvais certes pas imaginer être prêtre comme je le suis aujourd'hui. C'est ma participation continuelle au sacerdoce compatissant de Jésus qui a fait de toutes ces années une longue et belle eucharistie, un acte continu de prière, de louange et d'action de grâces.

Le calice en or est devenu une coupe en verre, mais ce qu'elle contient est demeuré inchangé. C'est la vie du Christ et la nôtre mêlées en une seule vie. Quand nous buvons la coupe, nous buvons la coupe que Jésus a bue, mais nous buvons aussi notre coupe. Cela est le grand mystère de l'eucharistie. La coupe de Jésus, remplie de sa vie, versée pour nous et pour l'humanité, et notre coupe remplie de notre sang, sont devenues une seule coupe. Ensemble, quand nous buvons la coupe comme Jésus l'a bue, nous devenons le corps du Christ, qui meurt et ressuscite à jamais pour le salut du monde.

Table des matières

MEMBRE DU GROUPE SCABRINI

Québec, Canada
2000